도 형 학 습 의 기 준

플라토
PLATO

F2

도형조작 | 초6

플라토가 제안하는 도형 학습법

도형 학습지 플라토를 처음 기획하던 때의 기억이 선명하네요. 처음에는 아이들에게 그다지 필요하지 않을 거라 생각해서 소수의 학원에서만 풀리는 교재로 생각했는데 교재가 모양을 갖추어가자 점점 모든 아이들이 즐겁게 도형을 풀 수 있는 책이 만들어질 거라는 확신이 들었지요.

처음 교재를 쓰면서 놓치지 않고 싶었던 콘셉트는 딱 이거였어요.
"쉽고! 가볍게!"
쉬운 교재를 쓴다는 것이 결코 쉽지 않았답니다. 쓰다 보면 어느새 높은 수준의 공간 감각을 요구하는 어려운 문제가 막 튀어나오고 난리도 아니었지요. 그럴 때마다 '아니야, 이 책은 정말 쉽고 가벼워야 해. 아이들이 술술 풀 수 있는 학습지여야 한다고!' 하며 다시 마음을 다잡고 어려운 문제를 빼고 다시 쓰기를 반복했답니다.

우여곡절 끝에 나온 '플라토'를 지난 6년 정도의 시간 동안 정말 깜짝 놀랄 만큼 많은 아이들이 선택하여 풀게 되었지요. 처음 생각했던 가볍고 쉬운 도형 학습지라는 콘셉트가 많은 부모와 아이들에게 받아들여졌다는 사실이 저자로서 무척이나 기쁘고 정말 뿌듯하답니다. 플라토가 단순히 도형을 체계적으로 학습하기 위한 학습지라는 개념을 넘어, 아이들이 도형, 더 나아가 수학에 대한 자신감을 가질 수 있게 하는 수학 학습의 시작점이 되었다는 사실이 무엇보다 자랑스럽습니다.

아이들을 위한 수학책을 집필하면서 수학 때문에 힘들어하는 아이들에게 또 하나의 짐을 더 지워주는 것이 아닌가 하는 걱정이 있었어요. 도형 학습지 플라토가 초등 도형 학습이라는 새로운 영역을 개척하며 점점 성장하는 것과 함께 어쩌면 도형도 따로 공부해야 한다는 또 다른 짐이 되어버린 것 같아 아쉽기도 했지요. 하지만 지난 몇 년간 플라토를 푼 많은 아이들이 올려준 후기를 보면서 저희의 걱정이 지나쳤다는 확신이 생겼답니다. 플라토를 푼 아이들, 플라토로 수학을 시작한 아이들은 수학이 괴롭고 힘들다는 인식 대신, 수학을 가볍고 부담 없고 만만한 것으로 받아들이게 되는 과정을 몸소 보여주었어요. 이것은 저희가 처음에 플라토를 기획했던 때에 기대했던 반응과 효과를 넘어선 정말 커다란 수학 학습의 변화라고 자평한답니다.

많은 사랑을 받았던 플라토가 이제, 플라토를 접한 이들의 소중한 피드백과 함께 새로운 개정판으로 다시 태어났어요. 원래 플라토가 가지고 있던 장점은 그대로 가진 채, 좀 더 예뻐지고, 좀 더 친절해지고, 좀 더 풍성해진 모습으로 다시 한번 아이들에게 다가가려 합니다. 이러한 작은 변화가 아무쪼록 여전히 수학, 그리고 도형으로 고민하는 많은 부모와 아이들에게 기쁜 소식이 되었으면 해요.

새로운 플라토, 잘 부탁드리고, 또 많은 관심과 의견 보내주시면 정말 고마울 거예요.

2022년 지식과상상연구소 드림

도형학습, 자주 묻는 질문과 답변

질문1 도형 학습 반드시 필요할까요? 또는 어떤 아이들에게 필요할까요?

도형 영역의 성취도가 다른 영역에 비해 확연하게 높은 아이들과 선천적으로 공감 감각이 뛰어난 친구에게는 필요하지 않겠지요. 그러나 초등학교의 도형 학습은 단원 간 시간 간격이 상당히 크기 때문에 아이들이 도형의 기본 개념을 연계하여 학습하지 못하는 어려움이 있고, 이러한 어려움이 누적되면 훨씬 어려운 중학교 도형 영역에서 힘들어하는 경우가 많답니다. 이 때문에 좀 더 도형을 체계적으로 꾸준하게 하고 싶다는 아이들에게는 반드시 추천합니다.

특히 도형을 어려워하거나 싫어하는 친구들에게 플라토는 특효약이 될 수도 있다는 점 잊지 마세요.

질문2 도형 학습은 교구가 반드시 필요한가요?

영유아기에 도형 교구를 다루어 본 아이들과 그렇지 않은 아이들은 초등 단계에서 유의미한 도형 학습의 성취도 차이를 보이기는 합니다. 그러므로 3세~7세의 아이들에게 도형 교구를 노출시켜주어야 한다고 생각해요. 유아 단계에서는 놀이를 중심으로 한 교구 학습을 추천하고, 플라토를 시작하고 진행하는 단계에서는 교구를 도형 학습의 보조 도구로 활용하는 것이 좋을 것 같습니다. 예를 들어 플라토를 풀다가 거울에 비친 모양을 어려워한다면 거울 교구를, 칠교를 어려워한다면 칠교 교구를 직접 만지면서 문제를 푸는 것이 학습 효과를 높일 수 있지요. 플라토 개정판에서는 연관 교구를 표시해 두었고, 일부 교구재를 교재와 함께 제공하고 있습니다.

질문3 반드시 추천하는 도형 교구가 있나요?

반드시 필요한 도형 교구라면 교과서에 등장하는 도형 교구라고 생각해요. 패턴블록, 거울(리플렉터), 칠교, 펜토미노, 쌓기나무, 입체 모형, 지오보드 등이 교과서에 빠지지 않고 등장하는 교구이지요. 이러한 교구를 한 번에 묶어서 구성해 놓은 것이 플라토 주머니랍니다. 필요하신 분은 검색해 보세요!

질문4 아이가 플라토를 너무 빨리 풀어요. 어떻게 해야 할까요?

입문 단계의 플라토는 정말 쉽게 만들었기 때문에 어떤 아이들은 한 달 분량의 교재를 1주일이나 빠르게는 2~3일 만에 풀곤 한답니다. 아이가 학습지를 스스로의 의지로 빨리 풀어낸다는 것은 좋은 일이지요. 칭찬해 주어야 마땅합니다. 6세~2학년 정도까지는 도형 학습에 있어 좀 더 윗 단계를 푸는 것도 크게 어렵지 않습니다. 그래서 아이 연령에서 2단계~3단계 위까지는 아이가 속도감 있게 풀면서 쭉 나가주어도 괜찮아요. 그러다가 아이들이 학교에서 배워야만 풀 수 있는 주제가 나올 때 잠시 멈추고 연산/사고력 문제집을 풀게 하는 것이 좋습니다. 윗 단계의 도형 학습을 수월하게 진행하려면 연산 학습과 사고력 학습도 같이 진행하는 것이 좋기 때문입니다.

질문5 플라토만으로 도형 학습을 다 했다고 할 수 있을까요? 너무 쉬운 문제만 푸는 게 아닐까 불안해요.

플라토는 분명 쉬운 교재이지만 초등 수학 수준에 필요한 난이도의 도형 문항은 모두 수록되어 있답니다. 하지만 아이들에 따라 도형 학습에 재미를 붙이는 단계에서 좀 더 수준 높은 문제로 공간 감각과 사고력을 키우고 싶을 수도 있지요. 이런 경우 사고력수학 교재의 도형 영역으로 좀 더 심화된 학습을 하는 것을 추천합니다. 또한 우리 플라토도 좀 더 확장된 도형 학습을 필요로 하는 아이들을 위한 심화 교재를 준비하고 있으니 기대해주세요!

플라토 전체 커리

교재		S(6세)	P(7세)	A(초등학교 1학년)
1권 **평면규칙**	1주차	점과 선	도형 그리기	점과 선의 수
	2주차	똑같은 모양	같은 도형	여러 가지 도형
	3주차	도형 세기	도형 세기	도형 세기
	4주차	도형 규칙	도형 규칙	도형 규칙
2권 **도형조작**	1주차	길이 비교	같은 길이	넓이 비교
	2주차	모양 붙이기	세모 붙이기	패턴블록
	3주차	모양 자르기	네모 붙이기	도형 돌리기
	4주차	거울과 위치	거울에 비친 도형	모양 만들기
3권 **입체설계**	1주차	입체 모양 관찰	입체도형 관찰	입체도형 연구
	2주차	블록 모양 만들기	블록 모양 만들기	여러 가지 입체
	3주차	쌓기나무	쌓기나무	쌓기나무 세기
	4주차	입체도형 세기	층층 쌓기	입체도형 추리
4권 **공간지각**	1주차	잘라내기	구멍난 종이	구멍난 종이
	2주차	종이 접기	종이 접기	접고 잘라내기
	3주차	투명 종이 겹치기	여러 방향 관찰	여러 방향 관찰
	4주차	모양 겹치기	도형 겹치기	겹친 실루엣

B(초등학교 2학년)	C(초등학교 3학년)	D(초등학교 4학년)	E(초등학교 5학년)	F(초등학교 6학년)
원과 다각형	직선과 각	각도기와 각	다각형의 둘레	원주와 원주율
도형 그리기	직각이 있는 도형	삼각형	합동	원을 이용한 길이
도형 세기	도형 그리기	수직과 평행	선대칭	원의 넓이
점판 그리기	패턴 무늬	다각형	점대칭	원을 이용한 넓이
길이 재기	밀기와 뒤집기	도형의 각	직사각형의 넓이	직육면체의 겉넓이
칠교판	돌리기	삼각형의 성질	평행사변형, 삼각형의 넓이	직육면체의 부피(1)
길이의 합과 차	도형의 이동	사각형의 성질	사다리꼴, 마름모의 넓이	직육면체의 부피(2)
모양 만들기	원과 길이	선 긋기와 각	다각형의 넓이	원기둥의 겉넓이와 부피
입체도형 연구	쌓기나무 그리기	입체 찍기	직육면체	각기둥
본뜬 모양	쌓기나무 세기	입체도형 포장	직육면체의 전개도	각뿔
쌓기나무 발자국	입체의 부피	쌓기나무 포장	전개도 그리기	전개도
쌓기나무 세기	큐브 블록	포장 종이 잇기	전개도와 대각선	원기둥, 원뿔, 구
색종이 공예	색종이 공예	점의 이동	점의 이동	쌓기나무의 수
여러 방향 쌓기	구멍난 종이	모양과 점의 이동	모양과 점의 이동	위, 앞, 옆 모양
투명 종이 겹치기	여러 방향 관찰	같은 모양, 다른 모양	주사위	위, 앞, 옆과 수
그림자 추리	색종이 겹치기	정다각형을 붙인 모양	뚜껑이 없는 상자	큐브 연결

이 책의
목차

1주차	**직육면체의 겉넓이**	8
2주차	**직육면체의 부피(1)**	22
3주차	**직육면체의 부피(2)**	36
4주차	**원기둥의 겉넓이와 부피**	50
	형성 평가	64

1 주차

직육면체의 겉넓이

1일 전개도의 넓이 ·················· 10

2일 정육면체의 겉넓이 ·············· 12

3일 직육면체의 겉넓이 ·············· 14

4일 쌓기나무의 겉넓이 ·············· 16

5일 겉넓이 비교 ···················· 18

확인학습 ···················· 20

전개도의 넓이

✏️ 직육면체 전개도의 넓이를 구해 ☐ 안에 써넣으시오.

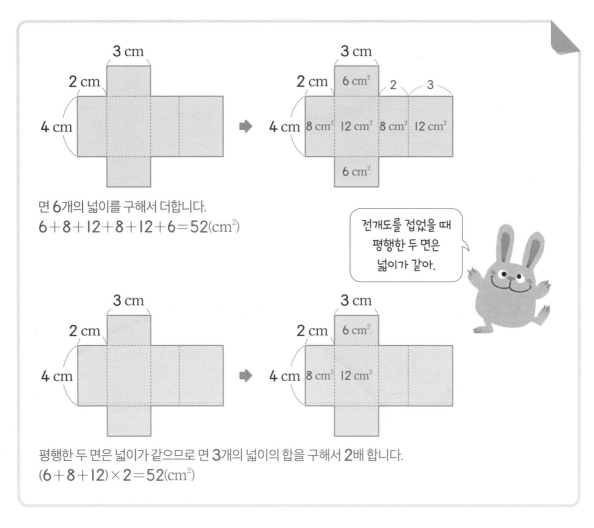

면 6개의 넓이를 구해서 더합니다.
$6+8+12+8+12+6=52(cm^2)$

전개도를 접었을 때
평행한 두 면은
넓이가 같아.

평행한 두 면은 넓이가 같으므로 면 3개의 넓이의 합을 구해서 2배 합니다.
$(6+8+12)×2=52(cm^2)$

1

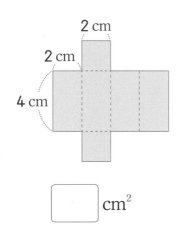

☐ cm^2

2

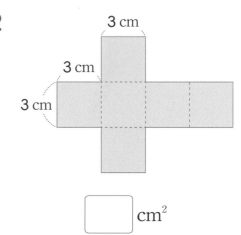

☐ cm^2

3

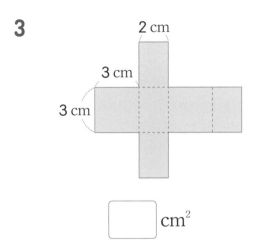

$\boxed{}$ cm^2

4

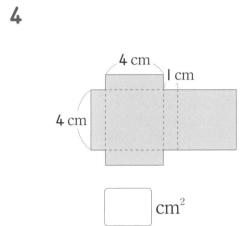

$\boxed{}$ cm^2

5

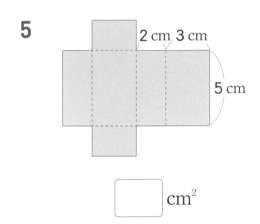

$\boxed{}$ cm^2

6

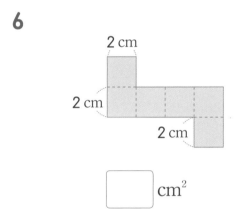

$\boxed{}$ cm^2

7

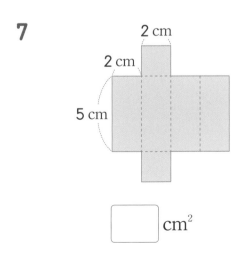

$\boxed{}$ cm^2

8

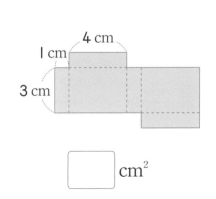

$\boxed{}$ cm^2

정육면체의 겉넓이

✏️ 정육면체의 겉넓이를 구해 ☐ 안에 써넣으시오.

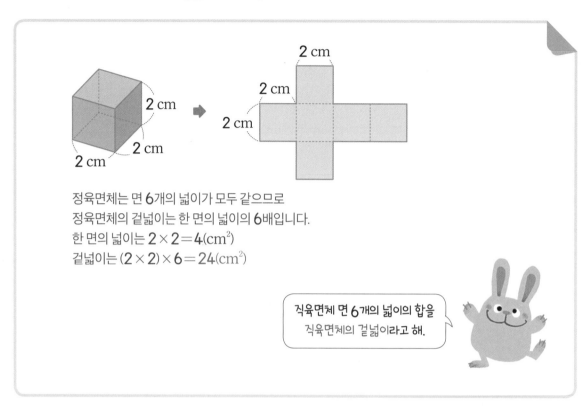

정육면체는 면 6개의 넓이가 모두 같으므로
정육면체의 겉넓이는 한 면의 넓이의 6배입니다.
한 면의 넓이는 $2 \times 2 = 4 (cm^2)$
겉넓이는 $(2 \times 2) \times 6 = 24 (cm^2)$

직육면체 면 6개의 넓이의 합을
직육면체의 겉넓이라고 해.

1

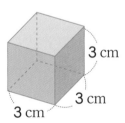

☐ cm^2

2

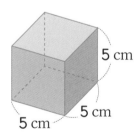

☐ cm^2

3

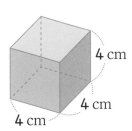

4 cm
4 cm
4 cm

⬜ cm²

4

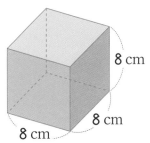

8 cm
8 cm
8 cm

⬜ cm²

5

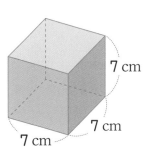

7 cm
7 cm
7 cm

⬜ cm²

6

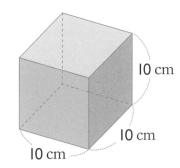

10 cm
10 cm
10 cm

⬜ cm²

7

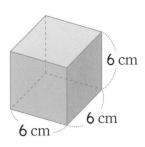

6 cm
6 cm
6 cm

⬜ cm²

8

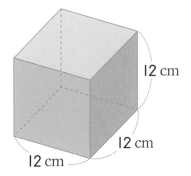

12 cm
12 cm
12 cm

⬜ cm²

✏️ 직육면체의 겉넓이를 구해 ☐ 안에 써넣으시오.

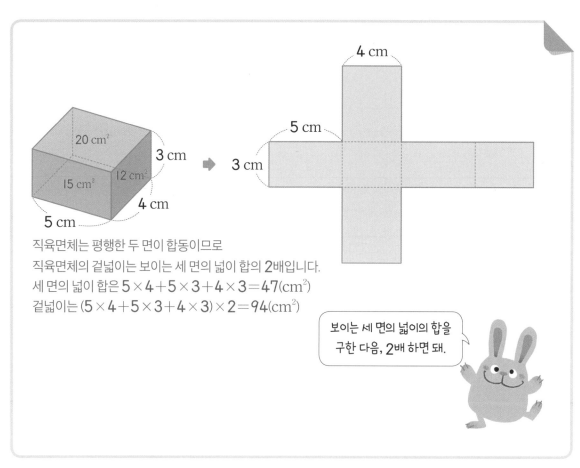

직육면체는 평행한 두 면이 합동이므로
직육면체의 겉넓이는 보이는 세 면의 넓이 합의 2배입니다.
세 면의 넓이 합은 $5 \times 4 + 5 \times 3 + 4 \times 3 = 47 (cm^2)$
겉넓이는 $(5 \times 4 + 5 \times 3 + 4 \times 3) \times 2 = 94 (cm^2)$

보이는 세 면의 넓이의 합을
구한 다음, 2배 하면 돼.

1

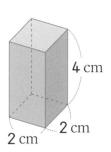

☐ cm²

2

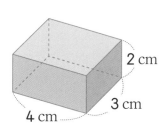

☐ cm²

3

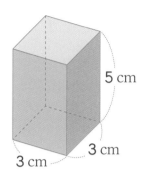

5 cm

3 cm   3 cm

☐ cm²

4

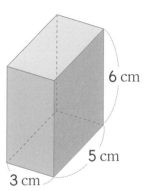

6 cm

5 cm

3 cm

☐ cm²

5

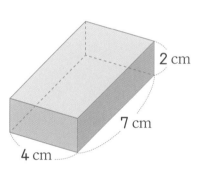

2 cm

7 cm

4 cm

☐ cm²

6

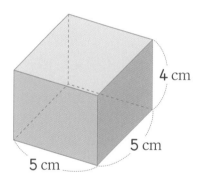

4 cm

5 cm

5 cm

☐ cm²

7

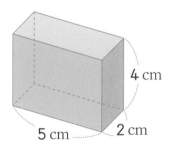

4 cm

5 cm   2 cm

☐ cm²

8

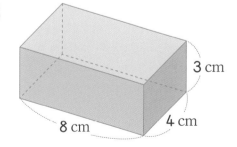

3 cm

8 cm   4 cm

☐ cm²

쌓기나무의 겉넓이

✏️ 한 모서리가 l cm인 쌓기나무로 만든 직육면체의 겉넓이를 구해 ☐ 안에 써넣으시오.

직육면체의 마주 보는 면의 넓이가 같으므로
직육면체의 겉넓이는 보이는 세 면의 넓이 합의 **2**배입니다.
세 면의 넓이 합은 $3 \times 2 + 3 \times 5 + 2 \times 5 = 3l(cm^2)$
겉넓이는 $(3 \times 2 + 3 \times 5 + 2 \times 5) \times 2 = 62(cm^2)$

쌓기나무의 한 모서리가
l cm니까 쌓기나무
한 면의 넓이는 l cm²야.

1

☐ cm²

2

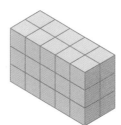

☐ cm²

3

☐ cm^2

4

☐ cm^2

5

☐ cm^2

6

☐ cm^2

7

☐ cm^2

8

☐ cm^2

5일 **겉넓이 비교**

✏️ 한 모서리가 1 cm인 쌓기나무로 직육면체를 만들었습니다. 겉넓이가 같은 직육면체끼리 선으로 이어 보시오.

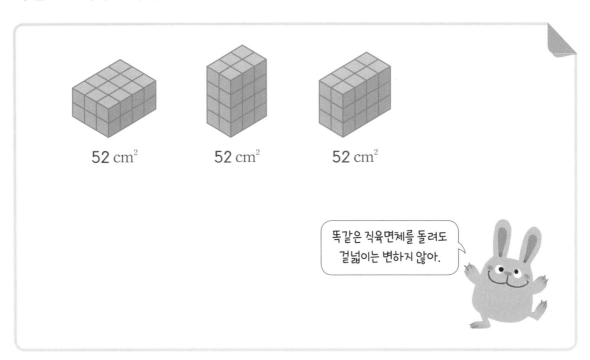

52 cm²   52 cm²   52 cm²

> 똑같은 직육면체를 돌려도 겉넓이는 변하지 않아.

1

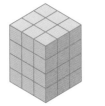 •   • 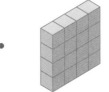

2

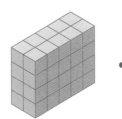 •   • 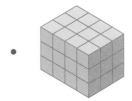

3

 •   • 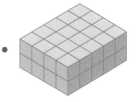

4

 • •

5

 • •

6

 • •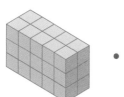

7

 •

8

 •

9

✎ 직육면체의 전개도의 넓이를 구해 ☐ 안에 써넣으시오.

1

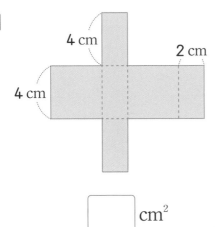

4 cm
2 cm
4 cm

☐ cm²

2

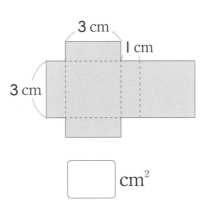

3 cm
1 cm
3 cm

☐ cm²

✎ 직육면체의 겉넓이를 구해 ☐ 안에 써넣으시오.

3

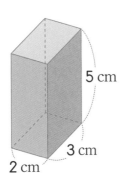

5 cm
3 cm
2 cm

☐ cm²

4

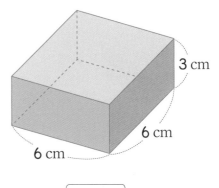

3 cm
6 cm
6 cm

☐ cm²

✎ 한 모서리가 1 cm인 쌓기나무로 만든 직육면체의 겉넓이를 구해 ☐ 안에 써넣으시오.

5

☐ cm²

6

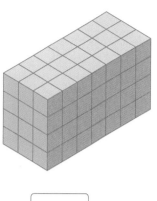

☐ cm²

✎ 한 모서리가 1 cm인 쌓기나무로 직육면체를 만들었습니다. 겉넓이가 같은 직육면체끼리 선으로 이어 보시오.

7

 •

•

8

 •

•

9

 •

•

2 주차

직육면체의 부피(1)

1일   쌓기나무의 수 ······················ 24

2일   쌓기나무 채우기 ·················· 26

3일   쌓기나무의 부피 ·················· 28

4일   직육면체의 부피 ·················· 30

5일   모서리의 길이 ····················· 32

확인학습 ·································· 34

쌓기나무의 수

✏️ 직육면체 모양으로 쌓은 쌓기나무의 수를 ☐ 안에 써넣으시오.

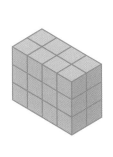

한 층에 있는 쌓기나무의 수는 $4 \times 2 = 8$(개)
높이가 **3**층이므로
전체 쌓기나무의 수는 $4 \times 2 \times 3 = 24$(개)

가로, 세로, 높이에
쌓기나무가 몇 개씩
있는지 알아봐.

1

☐ 개

2

☐ 개

3

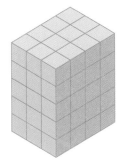

☐ 개

4

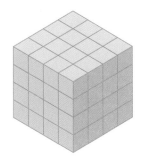

☐ 개

5

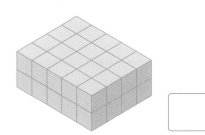

◻ 개

6

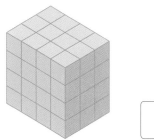

◻ 개

7

◻ 개

8

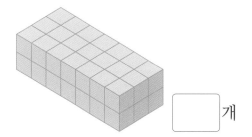

◻ 개

9

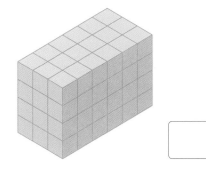

◻ 개

10

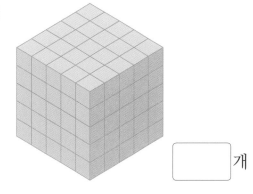

◻ 개

2일 쌓기나무 채우기

✏️ 주어진 상자에 한 모서리가 1 cm인 쌓기나무를 빈틈없이 채웁니다. 필요한 쌓기나무의 수를 ☐안에 써넣으시오.

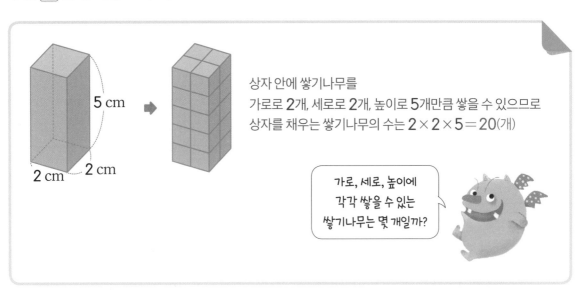

상자 안에 쌓기나무를
가로로 2개, 세로로 2개, 높이로 5개만큼 쌓을 수 있으므로
상자를 채우는 쌓기나무의 수는 2 × 2 × 5 = 20(개)

가로, 세로, 높이에
각각 쌓을 수 있는
쌓기나무는 몇 개일까?

1

6 cm
4 cm
2 cm

☐개

2

5 cm
4 cm
3 cm

☐개

3

4 cm

6 cm

1 cm

☐ 개

4

7 cm

2 cm   3 cm

☐ 개

5

3 cm

8 cm   5 cm

☐ 개

6

6 cm

6 cm   6 cm

☐ 개

7

2 cm

6 cm   7 cm

☐ 개

8

4 cm

5 cm   6 cm

☐ 개

쌓기나무의 부피

✏️ 부피가 1 cm³인 쌓기나무로 만든 직육면체의 부피를 구해 ☐ 안에 써넣으시오.

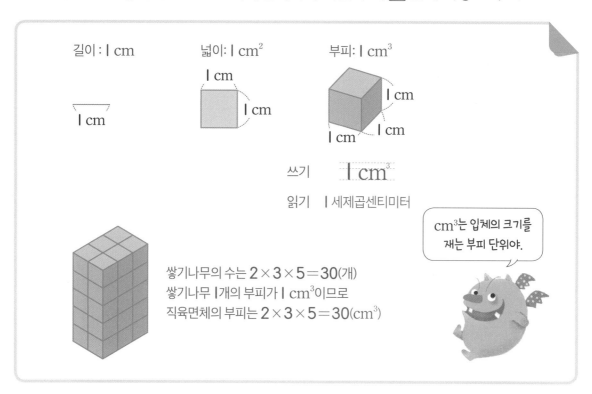

길이 : 1 cm

넓이: 1 cm²

1 cm
1 cm

부피: 1 cm³

1 cm
1 cm
1 cm

쓰기   1 cm³

읽기   1 세제곱센티미터

cm³는 입체의 크기를 재는 부피 단위야.

쌓기나무의 수는 $2 \times 3 \times 5 = 30$(개)
쌓기나무 1개의 부피가 1 cm³이므로
직육면체의 부피는 $2 \times 3 \times 5 = 30$(cm³)

1

☐ cm³

2

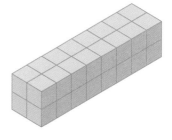

☐ cm³

3

$\boxed{}$ cm^3

4

$\boxed{}$ cm^3

5

$\boxed{}$ cm^3

6

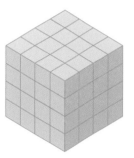

$\boxed{}$ cm^3

7

$\boxed{}$ cm^3

8

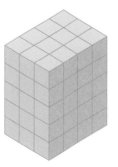

$\boxed{}$ cm^3

직육면체의 부피

✏️ 직육면체의 부피를 구해 ☐ 안에 써넣으시오.

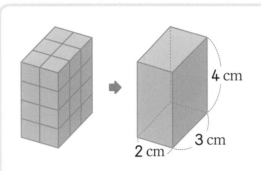

한 모서리가 **1** cm인 쌓기나무로 만든
직육면체의 부피와 같으므로 $2 \times 3 \times 4 = 24 (cm^3)$
(직육면체의 부피)=(가로)×(세로)×(높이)

한 모서리가 **1** cm인
정육면체의 부피를 **1** cm³라고
하고 **1** 세제곱센티미터라고 읽어.

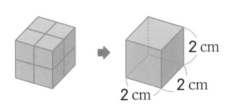

한 모서리가 **1** cm인 쌓기나무로 만든
정육면체의 부피와 같으므로 $2 \times 2 \times 2 = 8 (cm^3)$
➡ (정육면체의 부피)=(한 모서리)×(한 모서리)×(한 모서리)

1

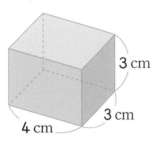

☐ cm³

2

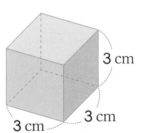

☐ cm³

3

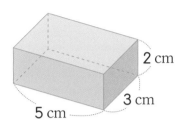

2 cm
3 cm
5 cm

$\boxed{}$ cm³

4

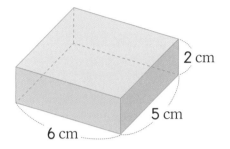

2 cm
5 cm
6 cm

$\boxed{}$ cm³

5

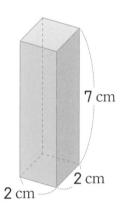

7 cm
2 cm
2 cm

$\boxed{}$ cm³

6

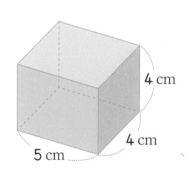

4 cm
4 cm
5 cm

$\boxed{}$ cm³

7

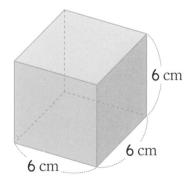

6 cm
6 cm
6 cm

$\boxed{}$ cm³

8

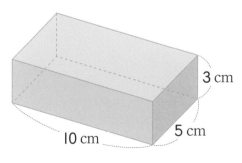

3 cm
5 cm
10 cm

$\boxed{}$ cm³

모서리의 길이

✏️ ☐ 안에 알맞은 수를 써넣으시오.

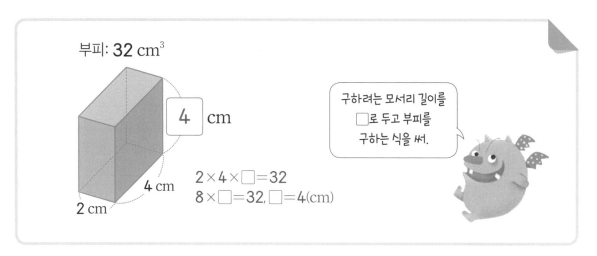

부피: 32 cm³

4 cm

4 cm

2 cm

구하려는 모서리 길이를
☐로 두고 부피를
구하는 식을 써.

$2 \times 4 \times \square = 32$
$8 \times \square = 32, \square = 4 \text{(cm)}$

1 부피: 45 cm³

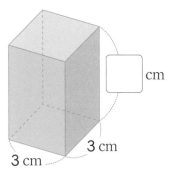

☐ cm

3 cm

3 cm

2 부피: 24 cm³

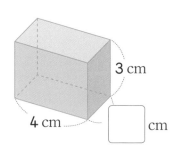

3 cm

4 cm

☐ cm

3 부피: 48 cm³

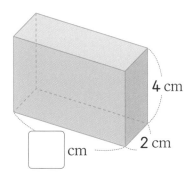

4 cm

☐ cm

2 cm

4 부피: 64 cm³

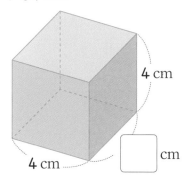

4 cm

4 cm

☐ cm

5 부피: 63 cm³

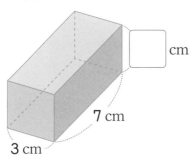

☐ cm

7 cm

3 cm

6 부피: 60 cm³

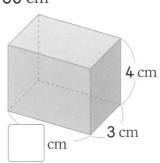

4 cm

3 cm

☐ cm

7 부피: 96 cm³

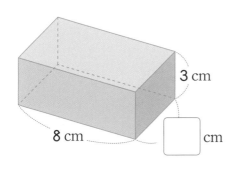

3 cm

8 cm

☐ cm

8 부피: 50 cm³

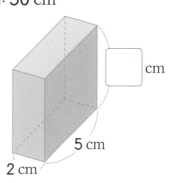

☐ cm

5 cm

2 cm

9 부피: 98 cm³

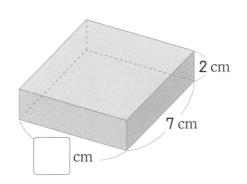

2 cm

7 cm

☐ cm

10 부피: 512 cm³

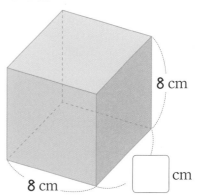

8 cm

8 cm

☐ cm

✏️ 직육면체 모양으로 쌓은 쌓기나무의 수를 ☐ 안에 써넣으시오.

1

☐ 개

2

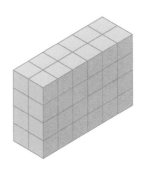

☐ 개

✏️ 부피가 **1** cm³인 쌓기나무로 만든 직육면체의 부피를 구해 ☐ 안에 써넣으시오.

3

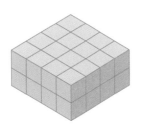

☐ cm³

4

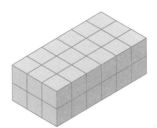

☐ cm³

✏️ 직육면체의 부피를 구해 ☐ 안에 써넣으시오.

5

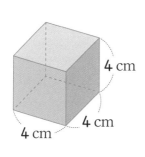

4 cm
4 cm
4 cm

☐ cm³

6

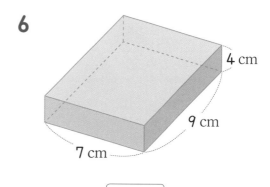

4 cm
9 cm
7 cm

☐ cm³

✏️ ☐ 안에 알맞은 수를 써넣으시오.

7 부피: 50 cm³

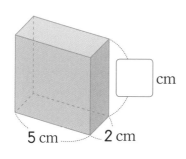

☐ cm
5 cm
2 cm

8 부피: 108 cm³

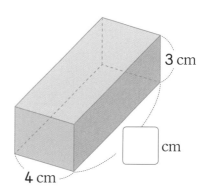

3 cm
☐ cm
4 cm

3 주차

직육면체의 부피(2)

1일   부피 비교 ······················ 38

2일   부피의 단위 ···················· 40

3일   물체의 부피 ···················· 42

4일   쌓기나무의 부피 ················ 44

5일   겉넓이와 부피 ·················· 46

확인학습 ····························· 48

한 모서리가 1 cm인 쌓기나무를 직육면체 모양으로 쌓았습니다. 부피가 가장 큰 모양에 ○표 하시오.

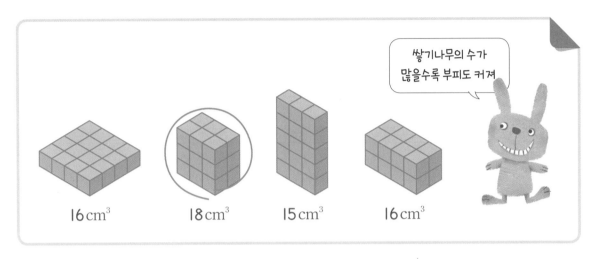

쌓기나무의 수가 많을수록 부피도 커져

16 cm³   18 cm³   15 cm³   16 cm³

1

2

  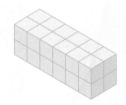

3

4

 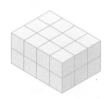  

5

6

 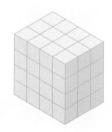  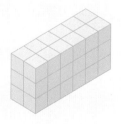

부피의 단위

✏️ 직육면체의 부피를 구해 ☐ 안에 써넣으시오.

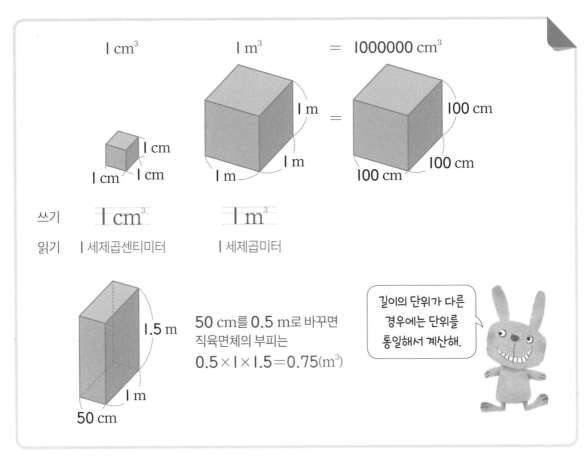

| cm³ | | m³   = 1000000 cm³

1 cm, 1 cm, 1 cm

1 m, 1 m, 1 m = 100 cm, 100 cm, 100 cm

쓰기   1 cm³   1 m³

읽기   1 세제곱센티미터   1 세제곱미터

1.5 m, 1 m, 50 cm

50 cm를 0.5 m로 바꾸면 직육면체의 부피는
$0.5 \times 1 \times 1.5 = 0.75(m^3)$

길이의 단위가 다른 경우에는 단위를 통일해서 계산해.

1

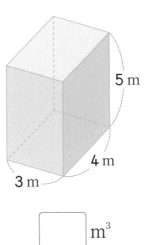

5 m, 4 m, 3 m

☐ m³

2

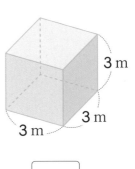

3 m, 3 m, 3 m

☐ m³

3

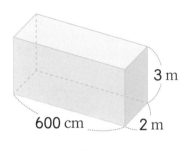

3 m
600 cm
2 m

◻ m³

4

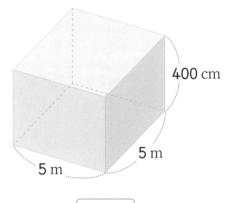

400 cm
5 m
5 m

◻ m³

5

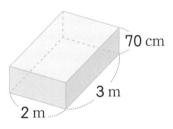

70 cm
3 m
2 m

◻ m³

6

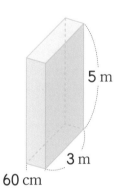

5 m
3 m
60 cm

◻ m³

7

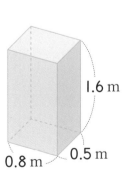

1.6 m
0.8 m
0.5 m

◻ m³

8

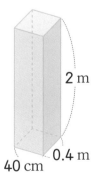

2 m
0.4 m
40 cm

◻ m³

✏️ 물이 담긴 직육면체 수조에서 물체를 빼내었습니다. 물체의 부피를 구해 ☐ 안에 써넣으시오.

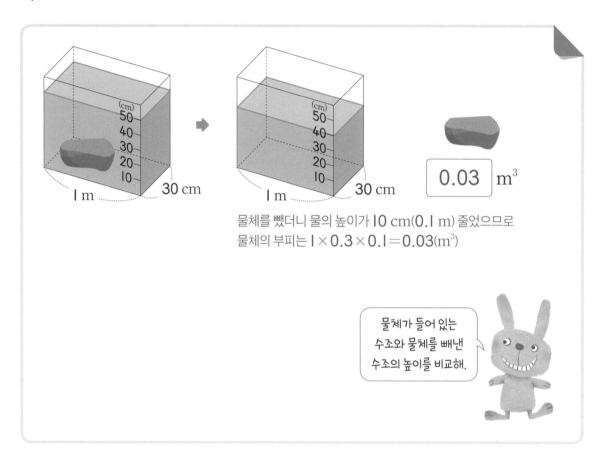

물체를 뺐더니 물의 높이가 10 cm(0.1 m) 줄었으므로
물체의 부피는 1×0.3×0.1＝0.03(m³)

물체가 들어 있는 수조와 물체를 빼낸 수조의 높이를 비교해.

1

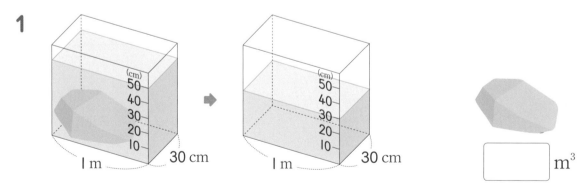

2

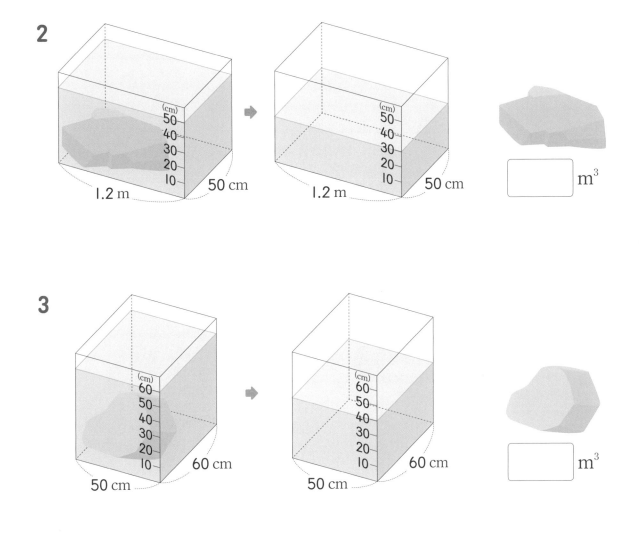

```
     (cm)
      50
      40
      30
      20
      10
1.2 m    50 cm
```

⇒

```
     (cm)
      50
      40
      30
      20
      10
1.2 m    50 cm
```

[____] m³

3

```
     (cm)
      60
      50
      40
      30
      20
      10
50 cm    60 cm
```

⇒

```
     (cm)
      60
      50
      40
      30
      20
      10
50 cm    60 cm
```

[____] m³

4

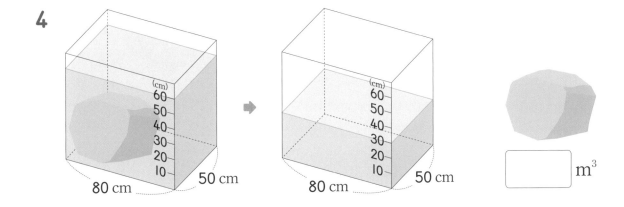

```
     (cm)
      60
      50
      40
      30
      20
      10
80 cm    50 cm
```

⇒

```
     (cm)
      60
      50
      40
      30
      20
      10
80 cm    50 cm
```

[____] m³

쌓기나무의 부피

✏️ 한 모서리가 1 cm인 쌓기나무를 각 층이 직육면체 모양이 되도록 쌓았습니다. 도형의 부피를 구해 ☐ 안에 써넣으시오.

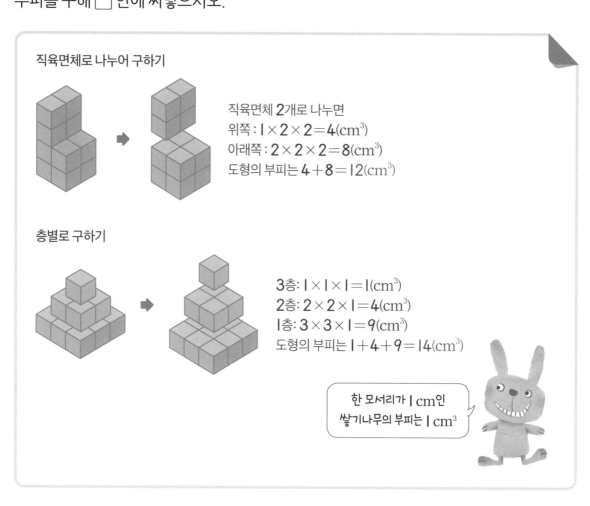

직육면체로 나누어 구하기

직육면체 2개로 나누면
위쪽 : $1 \times 2 \times 2 = 4(cm^3)$
아래쪽 : $2 \times 2 \times 2 = 8(cm^3)$
도형의 부피는 $4 + 8 = 12(cm^3)$

층별로 구하기

3층: $1 \times 1 \times 1 = 1(cm^3)$
2층: $2 \times 2 \times 1 = 4(cm^3)$
1층: $3 \times 3 \times 1 = 9(cm^3)$
도형의 부피는 $1 + 4 + 9 = 14(cm^3)$

한 모서리가 1 cm인
쌓기나무의 부피는 1 cm³

1

☐ cm³

2

☐ cm³

3

$\boxed{}$ cm^3

4

$\boxed{}$ cm^3

5

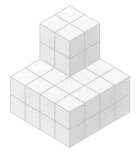

$\boxed{}$ cm^3

6

$\boxed{}$ cm^3

7

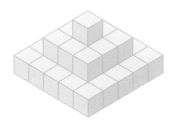

$\boxed{}$ cm^3

8

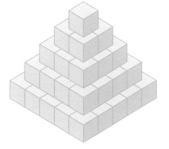

$\boxed{}$ cm^3

✏️ 겉넓이가 주어진 정육면체의 부피를 구해 ☐ 안에 써넣으시오.

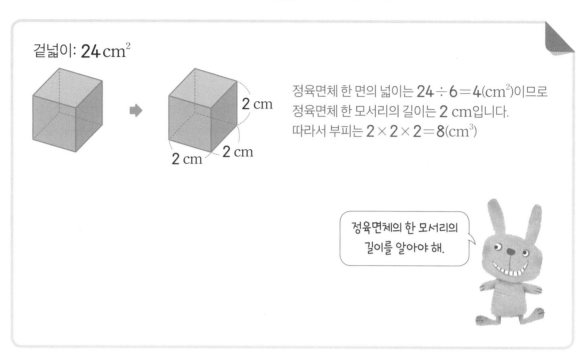

겉넓이: **24** cm²

2 cm
2 cm 2 cm

정육면체 한 면의 넓이는 **24 ÷ 6 = 4**(cm²)이므로
정육면체 한 모서리의 길이는 **2** cm입니다.
따라서 부피는 **2 × 2 × 2 = 8**(cm³)

정육면체의 한 모서리의
길이를 알아야 해.

1 겉넓이: **96** cm²

☐ cm³

2 겉넓이: **6** cm²

☐ cm³

3 겉넓이: **54** cm²

☐ cm³

4 겉넓이: **294** cm²

☐ cm³

5 겉넓이: **216** cm²

[ ] cm³

6 겉넓이: **486** cm²

[ ] cm³

7 겉넓이: **2400** cm²

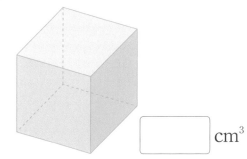

[ ] cm³

8 겉넓이: **726** cm²

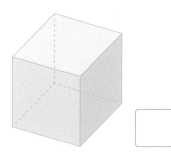

[ ] cm³

9 겉넓이: **384** cm²

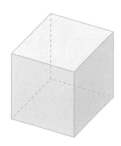

[ ] cm³

10 겉넓이: **1350** cm²

[ ] cm³

✏️ 직육면체의 부피를 구해 ⬜ 안에 써넣으시오.

1

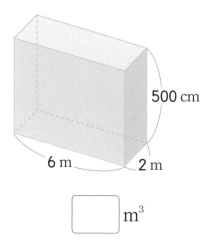

500 cm

6 m   2 m

⬜ m³

2

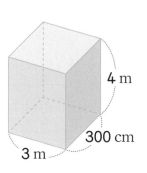

4 m

300 cm

3 m

⬜ m³

✏️ 물이 담긴 직육면체 수조에서 물체를 빼내었습니다. 물체의 부피를 구해 ⬜ 안에 써넣으시오.

3

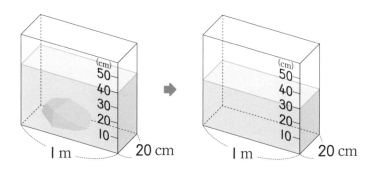

⬜ m³

한 모서리가 1 cm인 쌓기나무를 각 층이 직육면체 모양이 되도록 쌓았습니다. 도형의 부피를 구해 ☐ 안에 써넣으시오.

4

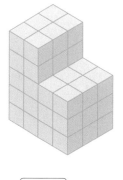

☐ cm³

5

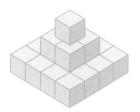

☐ cm³

겉넓이가 주어진 정육면체의 부피를 구해 ☐ 안에 써넣으시오.

6 겉넓이: 1014 cm²

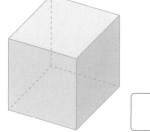

☐ cm³

7 겉넓이: 600 cm²

☐ cm³

4 주차

원기둥의 겉넓이와 부피

1일 원기둥의 전개도 ···················· 52

2일 전개도의 넓이 ···················· 54

3일 원기둥의 겉넓이(1) ············· 56

4일 원기둥의 겉넓이(2) ············· 58

5일 원기둥의 부피 ···················· 60

확인학습 ···················· 62

원기둥의 전개도

✏️ 원기둥의 전개도입니다. ☐ 안에 알맞은 수를 써넣으시오. (원주율: 3.1)

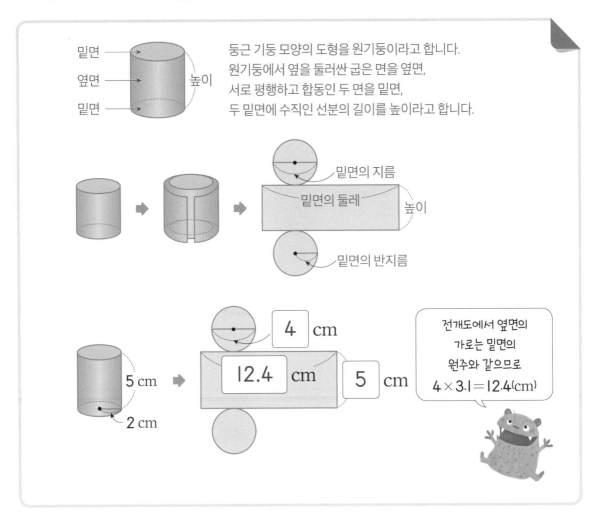

밑면

옆면

높이

밑면

둥근 기둥 모양의 도형을 원기둥이라고 합니다.
원기둥에서 옆을 둘러싼 굽은 면을 옆면,
서로 평행하고 합동인 두 면을 밑면,
두 밑면에 수직인 선분의 길이를 높이라고 합니다.

밑면의 지름

밑면의 둘레

높이

밑면의 반지름

4 cm

12.4 cm

5 cm

5 cm

2 cm

전개도에서 옆면의
가로는 밑면의
원주와 같으므로
$4 \times 3.1 = 12.4$(cm)

1

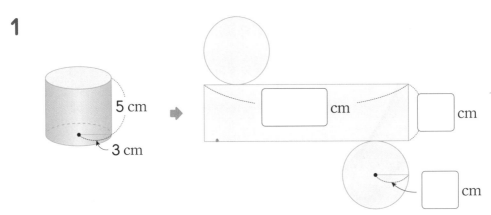

5 cm

3 cm

☐ cm

☐ cm

☐ cm

2

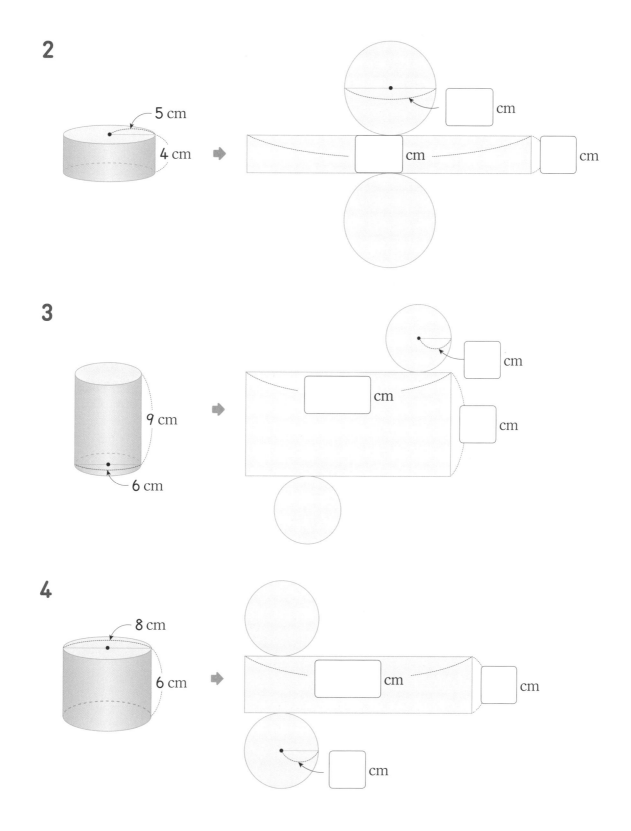

5 cm

4 cm

cm

cm

cm

3

9 cm

6 cm

cm

cm

cm

4

8 cm

6 cm

cm

cm

cm

✏️ 원기둥의 전개도입니다. 각 면의 넓이를 각각 구해 ☐ 안에 써넣으시오. (원주율: 3.1)

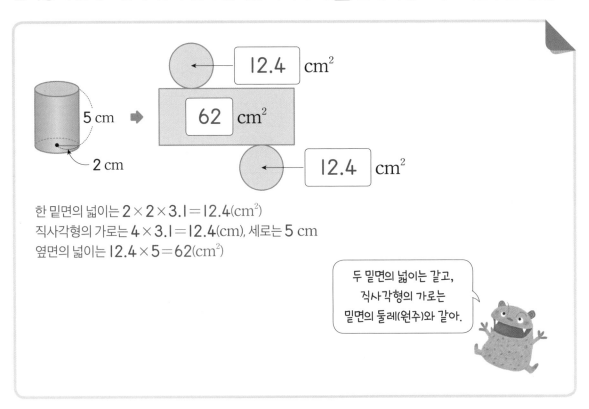

한 밑면의 넓이는 $2 \times 2 \times 3.1 = 12.4 (cm^2)$
직사각형의 가로는 $4 \times 3.1 = 12.4 (cm)$, 세로는 $5 cm$
옆면의 넓이는 $12.4 \times 5 = 62 (cm^2)$

두 밑면의 넓이는 같고,
직사각형의 가로는
밑면의 둘레(원주)와 같아.

1

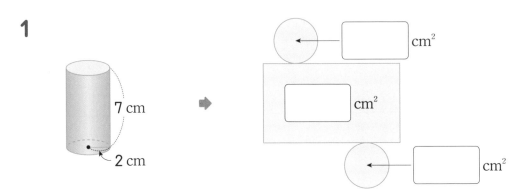

2

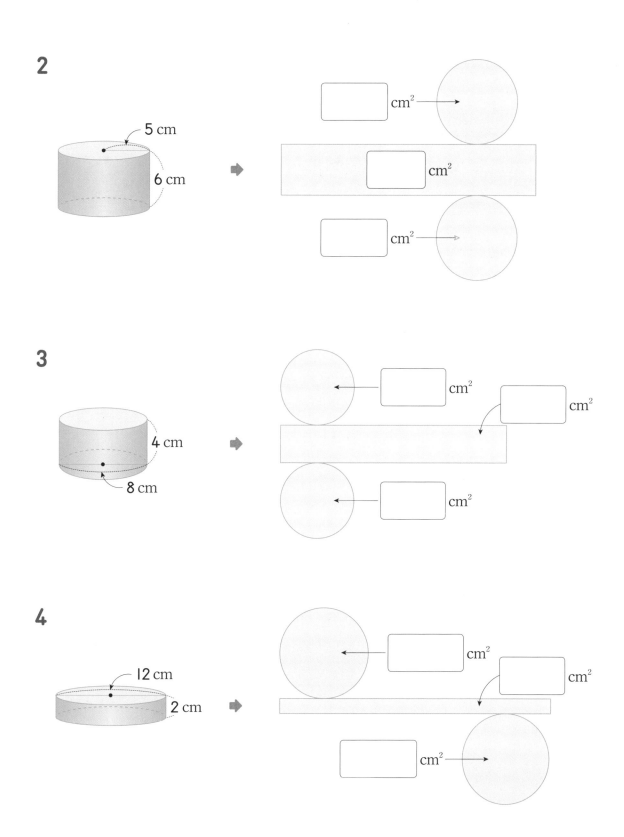

3

4

원기둥의 겉넓이(1)

✏️ ☐ 안에 알맞은 수를 써넣으시오. (원주율: 3)

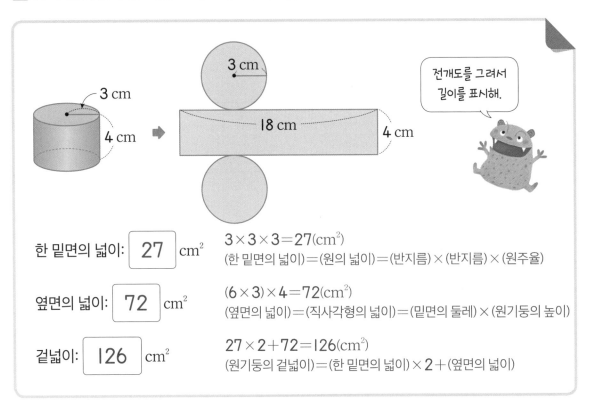

전개도를 그려서 길이를 표시해.

한 밑면의 넓이: $\boxed{27}$ cm^2

$3 \times 3 \times 3 = 27$(cm^2)
(한 밑면의 넓이)=(원의 넓이)=(반지름)×(반지름)×(원주율)

옆면의 넓이: $\boxed{72}$ cm^2

$(6 \times 3) \times 4 = 72$(cm^2)
(옆면의 넓이)=(직사각형의 넓이)=(밑면의 둘레)×(원기둥의 높이)

겉넓이: $\boxed{126}$ cm^2

$27 \times 2 + 72 = 126$(cm^2)
(원기둥의 겉넓이)=(한 밑면의 넓이)×2+(옆면의 넓이)

1

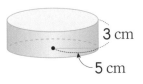

한 밑면의 넓이: $\boxed{}$ cm^2

옆면의 넓이: $\boxed{}$ cm^2

겉넓이: $\boxed{}$ cm^2

2

한 밑면의 넓이: $\boxed{}$ cm^2

옆면의 넓이: $\boxed{}$ cm^2

겉넓이: $\boxed{}$ cm^2

3

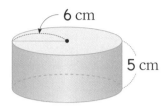

6 cm
5 cm

한 밑면의 넓이: ☐ cm²

옆면의 넓이: ☐ cm²

겉넓이: ☐ cm²

4

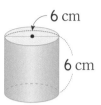

6 cm
6 cm

한 밑면의 넓이: ☐ cm²

옆면의 넓이: ☐ cm²

겉넓이: ☐ cm²

5

10 cm
3 cm

한 밑면의 넓이: ☐ cm²

옆면의 넓이: ☐ cm²

겉넓이: ☐ cm²

6

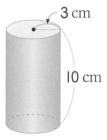

3 cm
10 cm

한 밑면의 넓이: ☐ cm²

옆면의 넓이: ☐ cm²

겉넓이: ☐ cm²

원기둥의 겉넓이(2)

✏️ 원기둥의 겉넓이를 구해 ☐ 안에 써넣으시오. (원주율: 3)

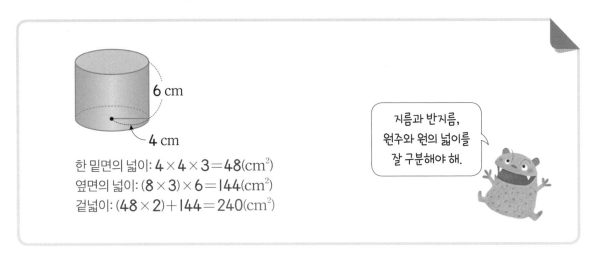

한 밑면의 넓이: $4 \times 4 \times 3 = 48(cm^2)$
옆면의 넓이: $(8 \times 3) \times 6 = 144(cm^2)$
겉넓이: $(48 \times 2) + 144 = 240(cm^2)$

지름과 반지름,
원주와 원의 넓이를
잘 구분해야 해.

1

2 cm

10 cm

☐ cm²

2

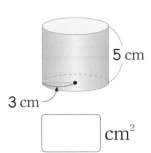

5 cm

3 cm

☐ cm²

3

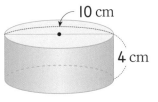

10 cm

4 cm

☐ cm²

4

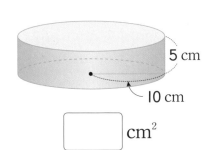

5 cm

10 cm

☐ cm²

5

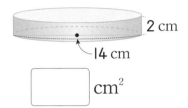

2 cm

14 cm

$\boxed{}$ cm^2

6

5 cm

8 cm

$\boxed{}$ cm^2

7

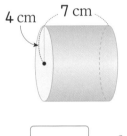

4 cm   7 cm

$\boxed{}$ cm^2

8

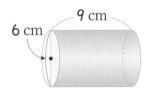

6 cm   9 cm

$\boxed{}$ cm^2

9

12 cm

5 cm

$\boxed{}$ cm^2

10

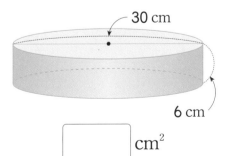

30 cm

6 cm

$\boxed{}$ cm^2

원기둥의 부피

 원기둥의 부피를 구해 ☐ 안에 써넣으시오. (원주율: 3)

직육면체의 부피

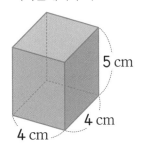

(가로)×(세로)가 한 밑면의 넓이이므로
직육면체의 부피는 (한 밑면의 넓이)×(높이)와 같습니다.
$(4 \times 4) \times 5 = 80 (cm^3)$

원기둥의 부피

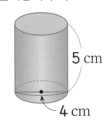

직육면체의 밑면은 직사각형, 원기둥의 밑면은 원이므로
원기둥의 부피도 (한 밑면의 넓이)×(높이)입니다.
$(2 \times 2 \times 3) \times 5 = 60 (cm^3)$

원기둥의 밑면이 원이므로
원기둥의 부피는
(반지름)×(반지름)×(원주율)×(높이)로
나타낼 수 있어.

1

3 cm
7 cm

☐ cm^3

2

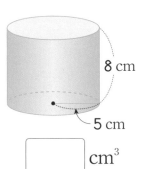

8 cm
5 cm

☐ cm^3

3

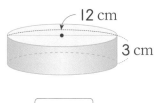

12 cm

3 cm

$\boxed{}$ cm^3

4

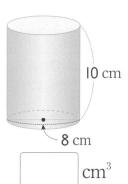

10 cm

8 cm

$\boxed{}$ cm^3

5

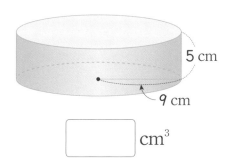

5 cm

9 cm

$\boxed{}$ cm^3

6

10 cm

14 cm

$\boxed{}$ cm^3

7

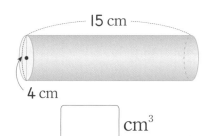

15 cm

4 cm

$\boxed{}$ cm^3

8

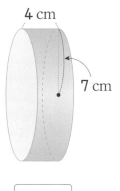

4 cm

7 cm

$\boxed{}$ cm^3

✏️ 원기둥의 전개도입니다. 각 면의 넓이를 각각 구해 ☐ 안에 써넣으시오. (원주율: 3)

1

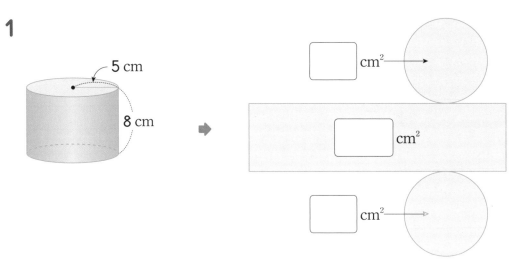

☐ cm²

☐ cm²

☐ cm²

✏️ ☐ 안에 알맞은 수를 써넣으시오. (원주율: 3)

2

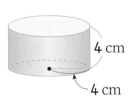

4 cm

4 cm

한 밑면의 넓이: ☐ cm²

옆면의 넓이: ☐ cm²

겉넓이: ☐ cm²

3

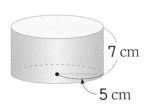

7 cm

5 cm

한 밑면의 넓이: ☐ cm²

옆면의 넓이: ☐ cm²

겉넓이: ☐ cm²

✏️ 원기둥의 겉넓이를 구해 ☐ 안에 써넣으시오. (원주율: $\frac{22}{7}$)

4

14 cm

15 cm

☐ cm²

5

14 cm

4 cm

☐ cm²

✏️ 원기둥의 부피를 구해 ☐ 안에 써넣으시오. (원주율: **3.1**)

6

7 cm

10 cm

☐ cm³

7

6 cm

10 cm

☐ cm³

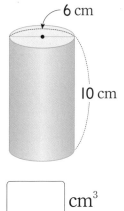

형성 평가

✚ 형성 평가에는 앞서 공부한 4주 차의 유형이 순서대로 나옵니다.

✚ 문제가 틀리면 몇 주 차인지 확인하여 반드시 다시 한번 복습합니다.

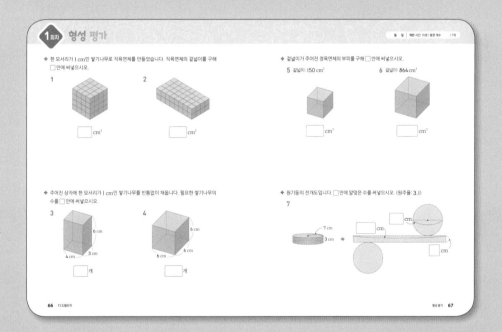

✚ 한 모서리가 1 cm인 쌓기나무로 직육면체를 만들었습니다. 직육면체의 겉넓이를 구해
   ☐ 안에 써넣으시오.

1

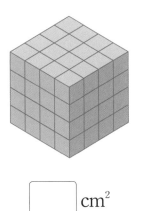

☐ cm²

2

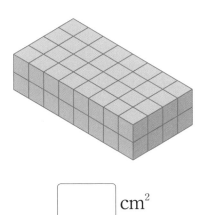

☐ cm²

✚ 주어진 상자에 한 모서리가 1 cm인 쌓기나무를 빈틈없이 채웁니다. 필요한 쌓기나무의
   수를 ☐ 안에 써넣으시오.

3

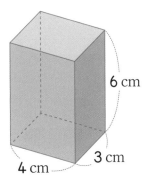

6 cm
4 cm 3 cm

☐ 개

4

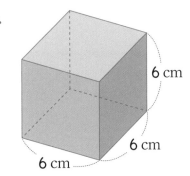

6 cm
6 cm 6 cm

☐ 개

✚ 겉넓이가 주어진 정육면체의 부피를 구해 ☐ 안에 써넣으시오.

5 겉넓이: **150** cm²

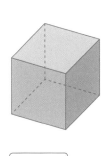

☐ cm³

6 겉넓이: **864** cm²

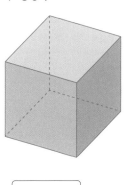

☐ cm³

✚ 원기둥의 전개도입니다. ☐ 안에 알맞은 수를 써넣으시오. (원주율: **3.1**)

7

7 cm
3 cm

➡

☐ cm

☐ cm

☐ cm

✚ 직육면체 전개도의 넓이를 구해 ☐ 안에 써넣으시오.

1

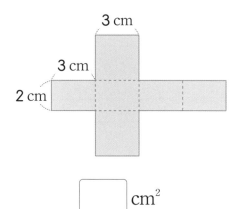

3 cm

3 cm

2 cm

☐ cm²

2

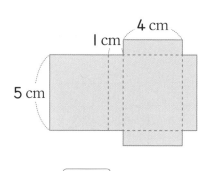

1 cm 4 cm

5 cm

☐ cm²

✚ 직육면체 모양으로 쌓은 쌓기나무의 수를 ☐ 안에 써넣으시오.

3

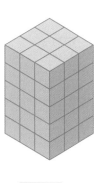

☐ 개

4

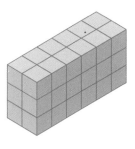

☐ 개

✚ 직육면체의 부피를 구해 ☐ 안에 써넣으시오.

5

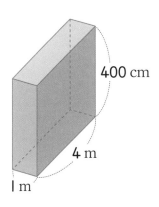

400 cm

4 m

1 m

☐ m³

6

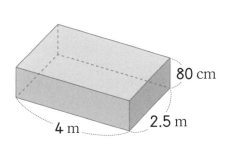

80 cm

4 m

2.5 m

☐ m³

✚ 원기둥의 겉넓이를 구해 ☐ 안에 써넣으시오. (원주율: **3.1**)

7

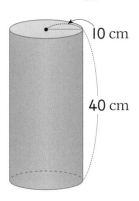

10 cm

40 cm

☐ cm²

8

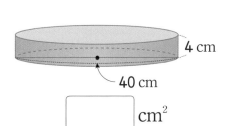

4 cm

40 cm

☐ cm²

✦ 직육면체의 겉넓이를 구해 ☐ 안에 써넣으시오.

1

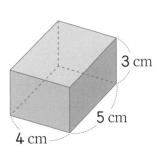

3 cm
5 cm
4 cm

☐ cm²

2

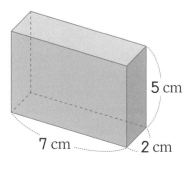

5 cm
7 cm
2 cm

☐ cm²

✦ ☐ 안에 알맞은 수를 써넣으시오.

3 부피: 100 cm³

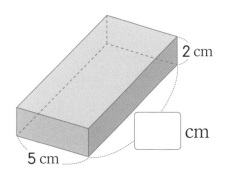

2 cm
☐ cm
5 cm

4 부피: 128 cm³

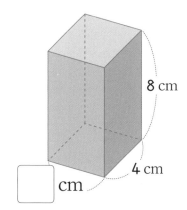

8 cm
4 cm
☐ cm

✛ 한 모서리가 1 cm인 쌓기나무를 각 층이 직육면체 모양이 되도록 쌓았습니다. 도형의 부피를 구해 ☐ 안에 써넣으시오.

5

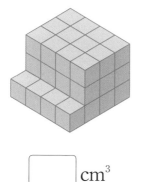

☐ cm³

6

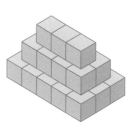

☐ cm³

✛ ☐ 안에 알맞은 수를 써넣으시오. (원주율: $3\frac{1}{7}$)

7

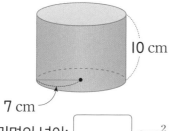

10 cm

7 cm

한 밑면의 넓이: ☐ cm²

옆면의 넓이: ☐ cm²

겉넓이: ☐ cm²

8

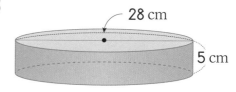

28 cm

5 cm

한 밑면의 넓이: ☐ cm²

옆면의 넓이: ☐ cm²

겉넓이: ☐ cm²

✚ 한 모서리가 1 cm인 쌓기나무로 직육면체를 만들었습니다. 겉넓이가 같은 직육면체끼리 선으로 이어 보시오.

1

  •

•

2

  •

•

3

  •

•

✚ 직육면체의 부피를 구해 ☐ 안에 써넣으시오.

4

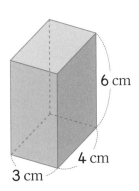

6 cm

4 cm

3 cm

☐ cm³

5

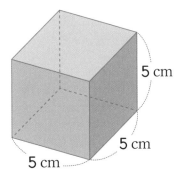

5 cm

5 cm

5 cm

☐ cm³

➕ 물이 담긴 직육면체 수조에서 물체를 빼내었습니다. 물체의 부피를 구해 ☐ 안에 써넣으시오.

6

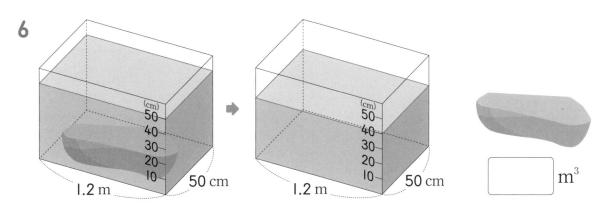

☐ m³

➕ 원기둥의 부피를 구해 ☐ 안에 써넣으시오. (원주율: $\frac{22}{7}$)

7

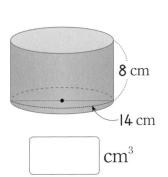

8 cm

14 cm

☐ cm³

8

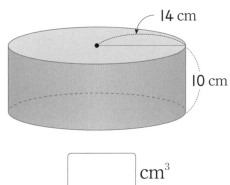

14 cm

10 cm

☐ cm³

✦ 정육면체의 겉넓이를 구해 ☐ 안에 써넣으시오.

1

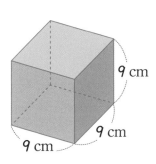

9 cm
9 cm
9 cm

☐ cm²

2

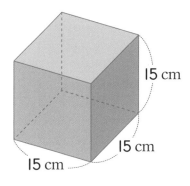

15 cm
15 cm
15 cm

☐ cm²

✦ 부피가 1 cm³인 쌓기나무로 만든 직육면체의 부피를 구해 ☐ 안에 써넣으시오.

3

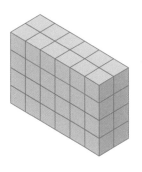

☐ cm³

4

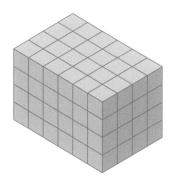

☐ cm³

✚ 한 모서리가 1 cm인 쌓기나무를 직육면체 모양으로 쌓았습니다. 부피가 가장 큰 모양에
 ○표 하시오.

5

6

✚ 원기둥의 전개도입니다. 각 면의 넓이를 각각 구해 ☐ 안에 써넣으시오. (원주율: 3.14)

7

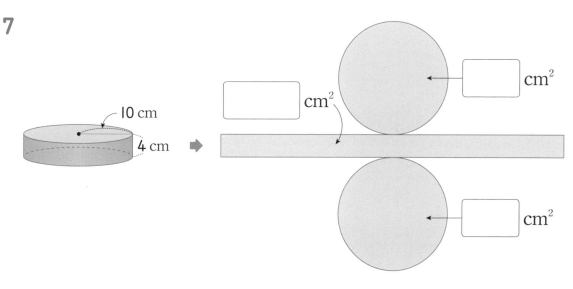

Memo

도형 학습의 기준

플라토
PLATO

F2
도형조작 | 초6

사고가 자라는 수학

씨투엠

도형 학습의 기본

플라토
PLATO

F2
도형조작 | 초6

정답과 해설

시매쓰
사고가 자라는 수학

전개도의 넓이

1일

✏️ 직육면체 전개도의 넓이를 구해 □ 안에 써넣으시오.

면 6개의 넓이를 구해서 더합니다:
6+8+12+8+12+6=52(cm²)

평행한 두 면의 넓이가 같으므로 큰 면 3개의 넓이의 합을 구해서 2배 합니다:
(6+8+12)×2=52(cm²)

전개도를 접었을 때
평행한 두 면은
넓이가 같아.

1

40 cm²

(4+8+8)×2=40(cm²)

F 2 도형조각

2

54 cm²

(9+9+9)×2=54(cm²)

3

42 cm²

(6+9+6)×2=42(cm²)

5

62 cm²

(6+10+15)×2=62(cm²)

7

48 cm²

(4+10+10)×2=48(cm²)

4

48 cm²

(4+4+16)×2=48(cm²)

6

24 cm²

(4+4+4)×2=24(cm²)

8

38 cm²

(4+3+12)×2=38(cm²)

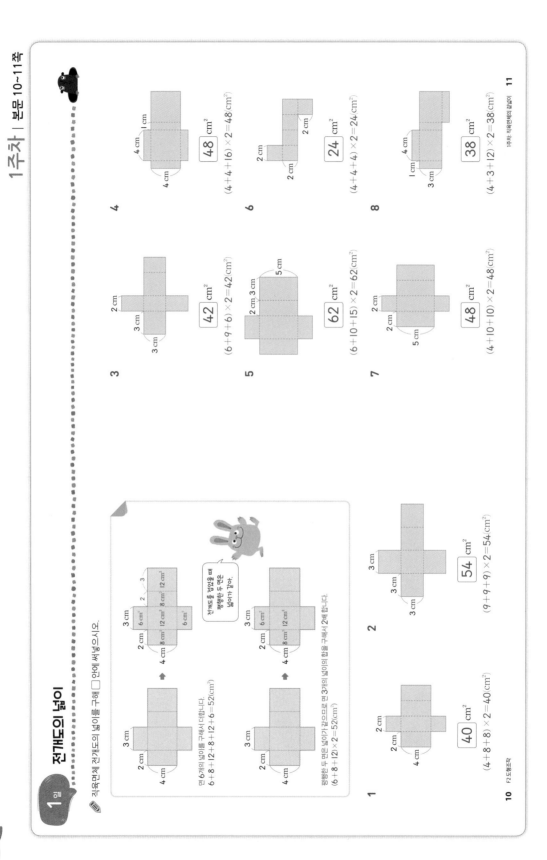

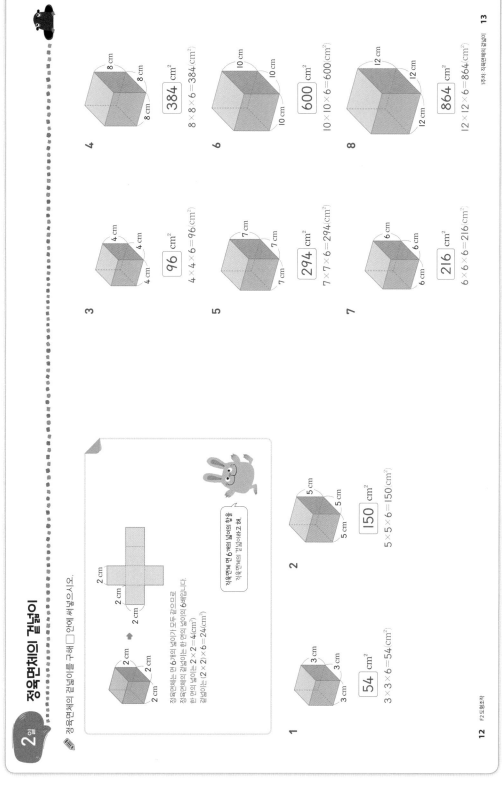

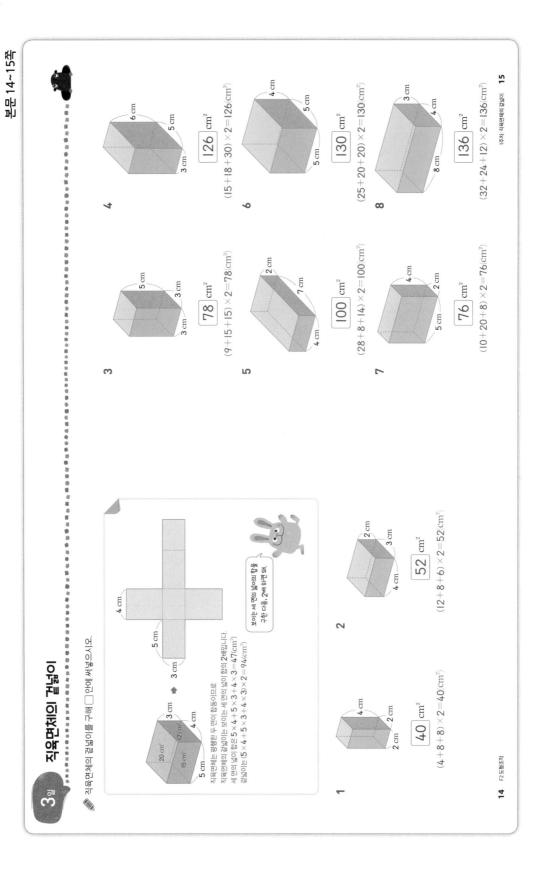

3일 직육면체의 겉넓이

직육면체의 겉넓이를 구해 ☐ 안에 써넣으시오.

직육면체는 평행한 두 면이 합동이므로
직육면체의 겉넓이는 보이는 세 면의 넓이 합의 2배입니다.
세 면의 넓이의 합은 5×4+5×3+4×3=47(cm²)
겉넓이는 (5×4+5×3+4×3)×2=94(cm²)

보이는 세 면의 넓이의 합을
구한 다음, 2배 하면 돼.

1
(4+8+8)×2=40(cm²)
40 cm²

2
(12+8+6)×2=52(cm²)
52 cm²

3
(9+15+15)×2=78(cm²)
78 cm²

4
(15+18+30)×2=126(cm²)
126 cm²

5
(28+8+14)×2=100(cm²)
100 cm²

6
(25+20+20)×2=130(cm²)
130 cm²

7
(10+20+8)×2=76(cm²)
76 cm²

8
(32+24+12)×2=136(cm²)
136 cm²

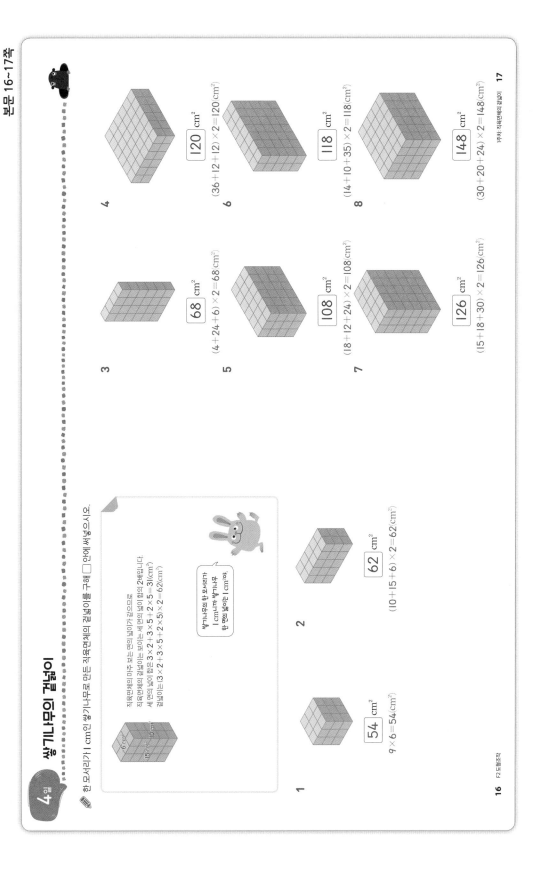

4일 쌓기나무의 겉넓이

한 모서리가 1 cm인 쌓기나무로 만든 직육면체의 겉넓이를 구해 □ 안에 써넣으시오.

직육면체의 마주 보는 면의 넓이가 같으므로
직육면체의 겉넓이는 보이는 세 면의 넓이 합의 2배입니다.
세 면의 넓이 합은 3×2+3×5+2×5=31(cm²)
겉넓이는 (3×2+3×5+2×5)×2=62(cm³)

쌓기나무의 한 모서리가
1 cm니까 쌓기나무
한 면의 넓이는 1 cm²야.

1 54 cm²
9×6=54(cm²)

2 62 cm²
(10+15+6)×2=62(cm²)

3 68 cm²
(4+24+6)×2=68(cm²)

4 120 cm²
(36+12+12)×2=120(cm²)

5 108 cm²
(18+12+24)×2=108(cm²)

6 118 cm²
(14+10+35)×2=118(cm²)

7 126 cm²
(15+18+30)×2=126(cm²)

8 148 cm²
(30+20+24)×2=148(cm²)

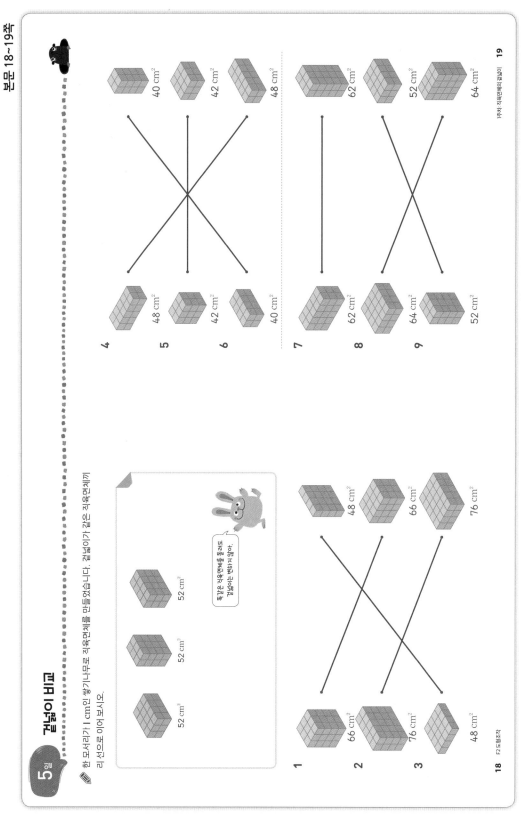

40 cm²

42 cm²

48 cm²

62 cm²

52 cm²

64 cm²

4

48 cm²

5

42 cm²

6

40 cm²

7

62 cm²

8

64 cm²

9

52 cm²

5일 겉넓이 비교

한 모서리가 1 cm인 쌓기나무로 직육면체를 만들었습니다. 겉넓이가 같은 직육면체끼리 선으로 이어 보시오.

52 cm² 52 cm² 52 cm²

똑같은 직육면체를 둘러도 겉넓이는 변하지 않아.

48 cm²

66 cm²

76 cm²

1

66 cm²

2

76 cm²

3

48 cm²

18 F2 도형조작

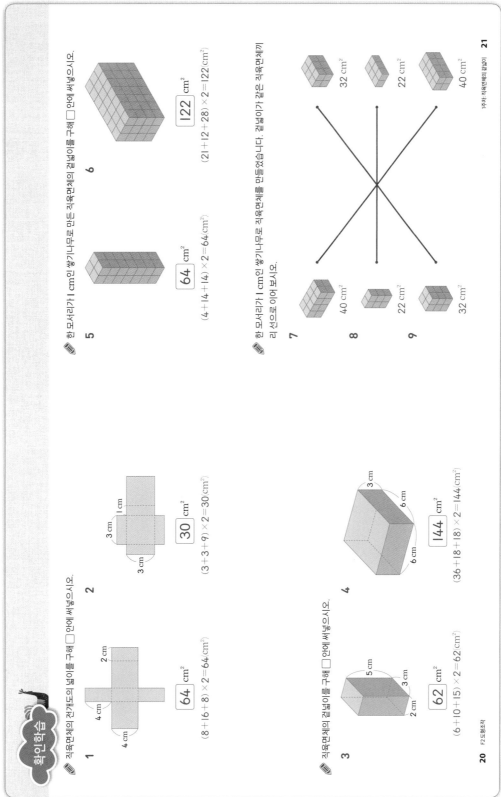

확인학습

✏️ 직육면체 전개도의 넓이를 구해 ☐ 안에 써넣으시오.

1

4 cm
2 cm
4 cm

$\boxed{64}$ cm²

(8+16+8) × 2=64(cm²)

2

1 cm
3 cm
3 cm

$\boxed{30}$ cm²

(3+3+9) × 2=30(cm²)

✏️ 직육면체의 겉넓이를 구해 ☐ 안에 써넣으시오.

3

5 cm
3 cm
2 cm

$\boxed{62}$ cm²

(6+10+15) × 2=62(cm²)

4

3 cm
6 cm
6 cm

$\boxed{144}$ cm²

(36+18+18) × 2=144(cm²)

F2도형조작

20

✏️ 한 모서리가 1 cm인 쌓기나무로 만든 직육면체의 겉넓이를 구해 ☐ 안에 써넣으시오.

5

$\boxed{64}$ cm²

(4+14+14) × 2=64(cm²)

6

$\boxed{122}$ cm²

(21+12+28) × 2=122(cm²)

✏️ 한 모서리가 1 cm인 쌓기나무로 직육면체를 만들었습니다. 겉넓이가 같은 직육면체끼리 선으로 이어 보시오.

7

40 cm²

8

22 cm²

9

32 cm²

32 cm²

22 cm²

40 cm²

1주차: 직육면체의 겉넓이

21

1일 쌓기나무의 수

직육면체 모양으로 쌓은 쌓기나무의 수를 □ 안에 써넣으시오.

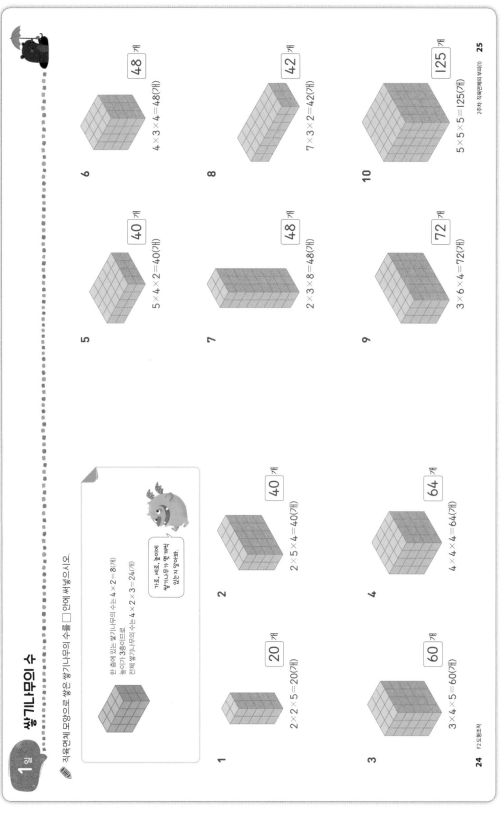

한 층에 있는 쌓기나무의 수는 4×2=8(개)
높이가 3층이므로
전체 쌓기나무의 수는 4×2×3=24(개)

가로, 세로, 높이에
쌓기나무가 몇 개씩
있는지 알아봐.

1
2×2×5=20(개)
20 개

2
2×5×4=40(개)
40 개

3
3×4×5=60(개)
60 개

4
4×4×4=64(개)
64 개

5
5×4×2=40(개)
40 개

6
4×3×4=48(개)
48 개

7
2×3×8=48(개)
48 개

8
7×3×2=42(개)
42 개

9
3×6×4=72(개)
72 개

10
5×5×5=125(개)
125 개

2일 쌓기나무 채우기

주어진 상자에 한 모서리가 1 cm인 쌓기나무를 빈틈없이 채웁니다. 필요한 쌓기나무의 수를 □ 안에 써넣으시오.

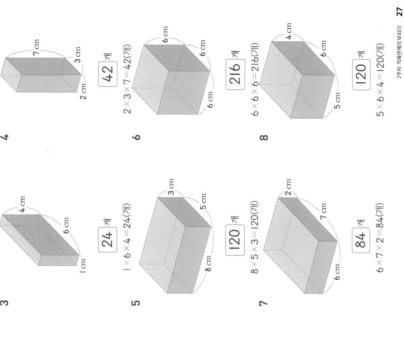

상자 안에 쌓기나무를 가로로 2개, 세로로 2개, 높이로 5개만큼 쌓을 수 있으므로 상자를 채우는 쌓기나무의 수는 2×2×5=20(개)

가로, 세로, 높이에 각각 채울 수 있는 쌓기나무도 몇 개일까?

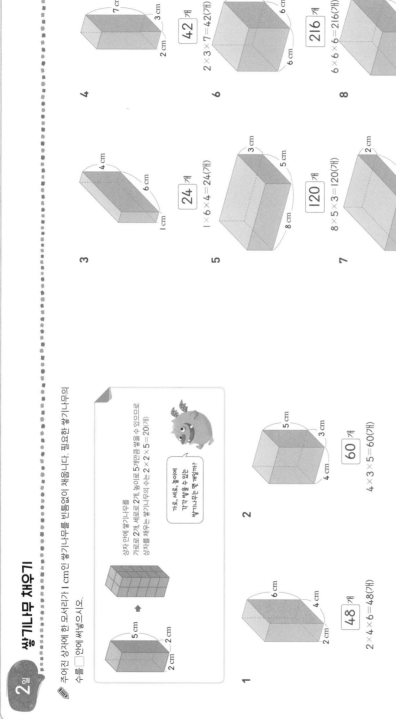

1 48 개
2×4×6=48(개)

2 60 개
4×3×5=60(개)

3 24 개
1×6×4=24(개)

4 42 개
2×3×7=42(개)

5 120 개
8×5×3=120(개)

6 216 개
6×6×6=216(개)

7 84 개
6×7×2=84(개)

8 120 개
5×6×4=120(개)

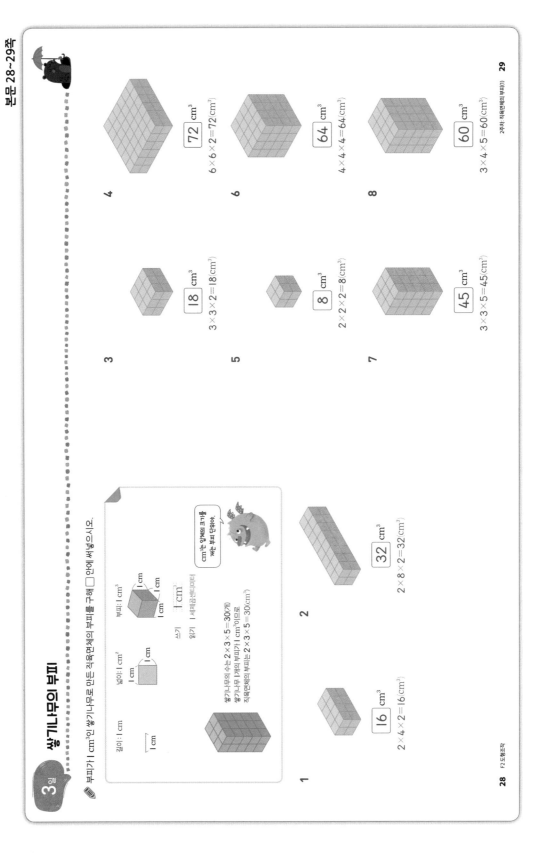

3일 쌓기나무의 부피

✏️ 부피가 1 cm³인 쌓기나무로 만든 직육면체의 부피를 구해 □ 안에 써넣으시오.

길이: 1 cm

넓이: 1 cm²

부피: 1 cm³

1 cm

1 cm

1 cm

1 cm

1 cm

쓰기   1 cm³

읽기   1 세제곱센티미터

쌓기나무의 수는 2×3×5=30(개)

쌓기나무 1개의 부피가 1 cm³이므로

직육면체의 부피는 2×3×5=30(cm³)

cm³는 입체의 크기를 재는 부피 단위야.

1

16 cm³

2×4×2=16(cm³)

2

32 cm³

2×8×2=32(cm³)

3

18 cm³

3×3×2=18(cm³)

4

72 cm³

6×6×2=72(cm³)

5

8 cm³

2×2×2=8(cm³)

6

64 cm³

4×4×4=64(cm³)

7

45 cm³

3×3×5=45(cm³)

8

60 cm³

3×4×5=60(cm³)

직육면체의 부피

4일

직육면체의 부피를 구해 ☐ 안에 써넣으시오.

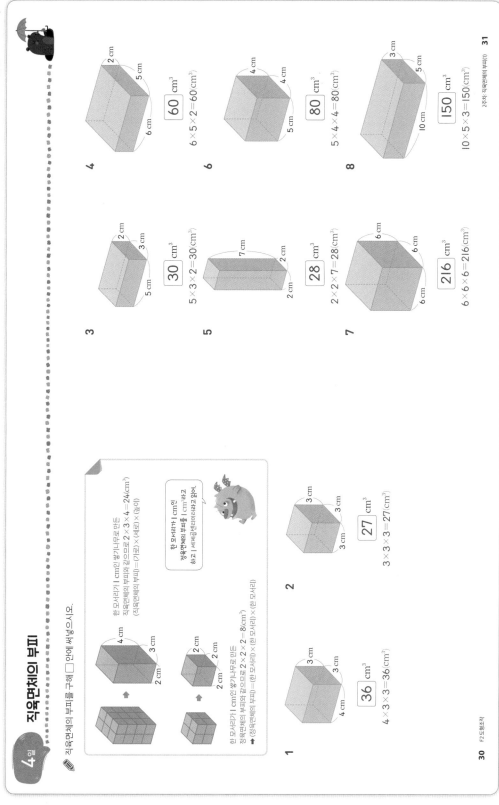

한 모서리가 1 cm인 쌓기나무로 만든
직육면체의 부피와 같으므로 2 × 3 × 4 = 24(cm³)
(직육면체의 부피) = (가로) × (세로) × (높이)

한 모서리가 1 cm인 쌓기나무로 만든
정육면체의 부피와 같으므로 2 × 2 × 2 = 8(cm³)
(정육면체의 부피) = (한 모서리) × (한 모서리) × (한 모서리)

한 모서리가 1 cm인
정육면체의 부피를 1 cm³라 쓰고
1 세제곱센티미터라고 읽어.

1
4 × 3 × 3 = 36(cm³)
36 cm³

2
3 × 3 × 3 = 27(cm³)
27 cm³

3
5 × 3 × 2 = 30(cm³)
30 cm³

4
6 × 5 × 2 = 60(cm³)
60 cm³

5
2 × 2 × 7 = 28(cm³)
28 cm³

6
5 × 4 × 4 = 80(cm³)
80 cm³

7
6 × 6 × 6 = 216(cm³)
216 cm³

8
10 × 5 × 3 = 150(cm³)
150 cm³

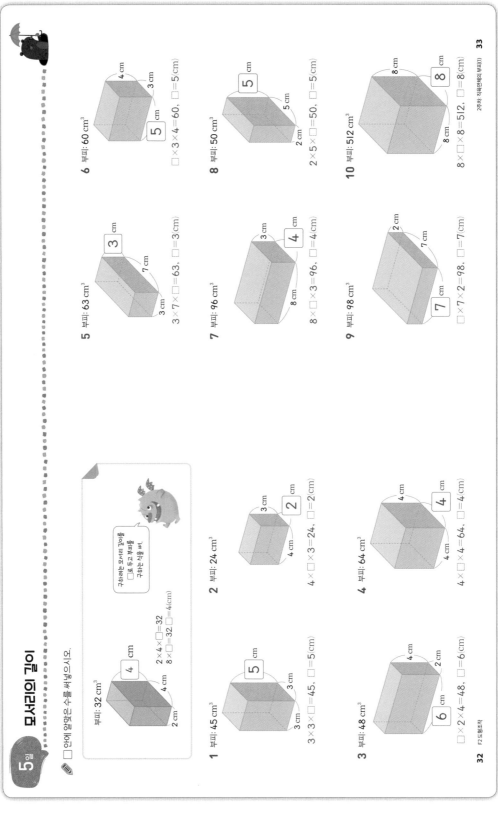

5일 모서리의 길이

✏️ ☐ 안에 알맞은 수를 써넣으시오.

> 구하려는 모서리 길이를 ☐로 두고 부피를 구하는 식을 써.

부피: 32 cm³
4 cm
4 cm
2 cm

$2 \times 4 \times ☐ = 32$
$8 \times ☐ = 32$, $☐ = 4$(cm)

1 부피: 45 cm³
5 cm
3 cm
3 cm

$3 \times 3 \times ☐ = 45$, $☐ = 5$(cm)

2 부피: 24 cm³
3 cm
2 cm
4 cm

$4 \times ☐ \times 3 = 24$, $☐ = 2$(cm)

3 부피: 48 cm³
4 cm
2 cm
6 cm

$☐ \times 2 \times 4 = 48$, $☐ = 6$(cm)

4 부피: 64 cm³
4 cm
4 cm
4 cm

$4 \times ☐ \times 4 = 64$, $☐ = 4$(cm)

5 부피: 63 cm³
3 cm
7 cm
3 cm

$3 \times 7 \times ☐ = 63$, $☐ = 3$(cm)

6 부피: 60 cm³
4 cm
3 cm
5

$☐ \times 3 \times 4 = 60$, $☐ = 5$(cm)

7 부피: 96 cm³
3 cm
4 cm
8 cm

$8 \times ☐ \times 3 = 96$, $☐ = 4$(cm)

8 부피: 50 cm³
5
5 cm
2 cm

$2 \times 5 \times ☐ = 50$, $☐ = 5$(cm)

9 부피: 98 cm³
2 cm
7 cm
7 cm

$☐ \times 7 \times 2 = 98$, $☐ = 7$(cm)

10 부피: 512 cm³
8 cm
8 cm
8 cm

$8 \times ☐ \times 8 = 512$, $☐ = 8$(cm)

확인학습

✏️ 직육면체 모양으로 쌓은 쌓기나무의 수를 ☐ 안에 써넣으시오.

1

24 개

$3 \times 2 \times 4 = 24$(개)

2

48 개

$2 \times 6 \times 4 = 48$(개)

✏️ 부피가 1 cm³인 쌓기나무로 만든 직육면체의 부피를 구해 ☐ 안에 써넣으시오.

3

32 cm³

$4 \times 4 \times 2 = 32$(cm³)

4

36 cm³

$3 \times 6 \times 2 = 36$(cm³)

✏️ 직육면체의 부피를 구해 ☐ 안에 써넣으시오.

5

4 cm
4 cm
4 cm

64 cm³

$4 \times 4 \times 4 = 64$(cm³)

6

4 cm
9 cm
7 cm

252 cm³

$7 \times 9 \times 4 = 252$(cm³)

✏️ ☐ 안에 알맞은 수를 써넣으시오.

7 부피: 50 cm³

5 cm
2 cm
5 cm

5

$5 \times 2 \times \boxed{} = 50$, $\boxed{} = 5$(cm)

8 부피: 108 cm³

3 cm
9 cm
4 cm

9

$4 \times \boxed{} \times 3 = 108$, $\boxed{} = 9$(cm)

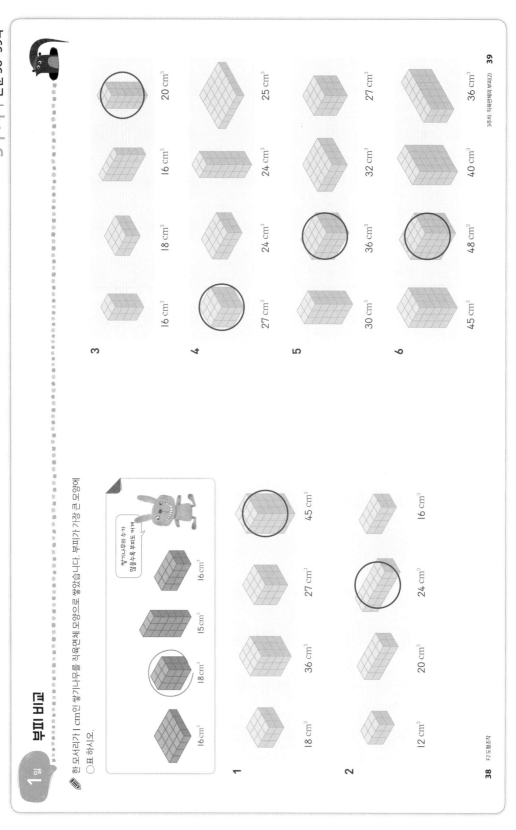

2일 부피의 단위

✏️ 직육면체의 부피를 구해 ☐ 안에 써넣으시오.

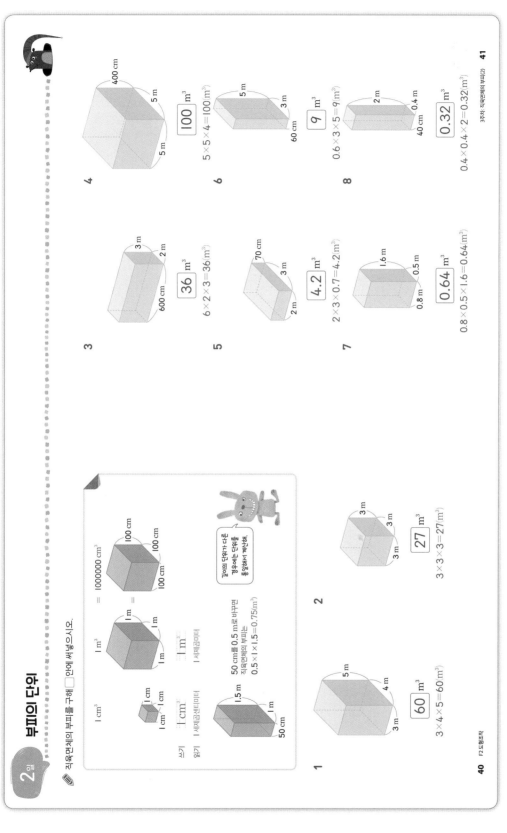

쓰기 1 cm³ 1 m³
읽기 1 세제곱센티미터 1 세제곱미터

50 cm를 0.5 m로 바꾸면
직육면체의 부피는
$0.5 \times 1 \times 1.5 = 0.75 (m^3)$

길이의 단위가 다른
경우에는 단위를
통일해서 계산해.

1 cm³ 1 m³ = 1000000 cm³

1
60 m³
$3 \times 4 \times 5 = 60 (m^3)$

2
27 m³
$3 \times 3 \times 3 = 27 (m^3)$

3
36 m³
$6 \times 2 \times 3 = 36 (m^3)$

4
100 m³
$5 \times 5 \times 4 = 100 (m^3)$

5
4.2 m³
$2 \times 3 \times 0.7 = 4.2 (m^3)$

6
9 m³
$0.6 \times 3 \times 5 = 9 (m^3)$

7
0.64 m³
$0.8 \times 0.5 \times 1.6 = 0.64 (m^3)$

8
0.32 m³
$0.4 \times 0.4 \times 2 = 0.32 (m^3)$

3일 물체의 부피

✏️ 물이 담긴 직육면체 수조에서 물체를 빼내었습니다. 물체의 부피를 구해 ☐ 안에 써넣으시오.

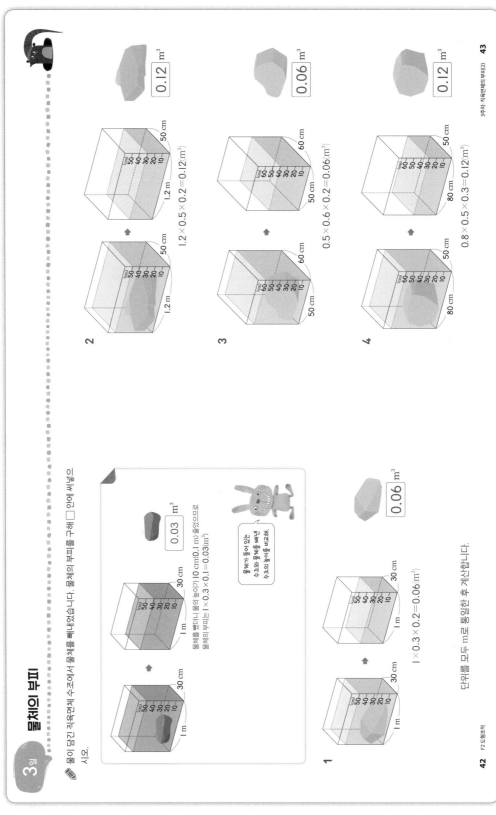

물체를 빼더니 물의 높이가 10 cm(0.1 m) 줄었으므로
물체의 부피는 1×0.3×0.1=0.03(m³)

물체가 들어 있는
수조와 물체를 빼낸
수조의 높이를 비교해.

0.03 m³

1 1×0.3×0.2=0.06(m³)   0.06 m³

단위를 모두 m로 통일한 후 계산합니다.

2 1.2×0.5×0.2=0.12(m³)   0.12 m³

3 0.5×0.6×0.2=0.06(m³)   0.06 m³

4 0.8×0.5×0.3=0.12(m³)   0.12 m³

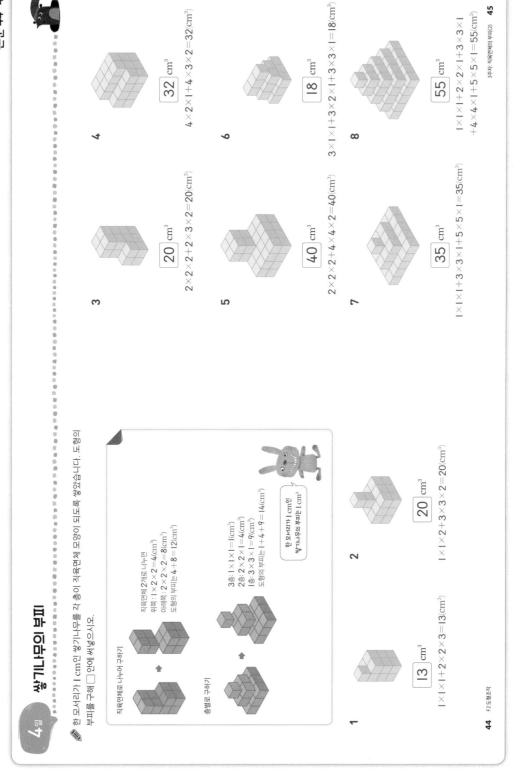

4일 쌓기나무의 부피

한 모서리가 1 cm인 쌓기나무를 각 층이 직육면체 모양이 되도록 쌓았습니다. 도형의 부피를 구해 □ 안에 써넣으시오.

직육면체로 나누어 구하기

직육면체 2개로 나누면
위쪽 : 1×2×2=4(cm³)
아래쪽 : 2×2×2=8(cm³)
도형의 부피는 4+8=12(cm³)

층별로 구하기

3층 : 1×1×1=1(cm³)
2층 : 2×2×1=4(cm³)
1층 : 3×3×1=9(cm³)
도형의 부피는 1+4+9=14(cm³)

한 모서리가 1 cm인
쌓기나무의 부피는 1 cm³

1
13 cm³
1×1×1+2×2×3=13(cm³)

2
20 cm³
1×1×2+3×3×2=20(cm³)

3
20 cm³
2×2×2+2×3×2=20(cm³)

4
32 cm³
4×2×1+4×3×2=32(cm³)

5
40 cm³
2×2×2+4×4×2=40(cm³)

6
18 cm³
3×1×1+3×2×1+3×3×1=18(cm³)

7
35 cm³
1×1×1+3×3×1+5×5×1=35(cm³)

8
55 cm³
1×1×1+2×2×1+3×3×1
+4×4×1+5×5×1=55(cm³)

44　F2 도형조작

45　3주차 : 직육면체의 부피(2)

5일 **넓이와 부피**

✏️ 겉넓이가 주어진 정육면체의 부피를 구해 □ 안에 써넣으시오.

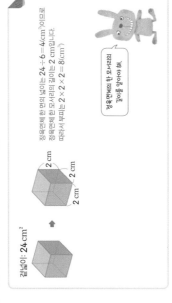

겉넓이: 24 cm²

정육면체 한 면의 넓이는 24 ÷ 6 = 4(cm²)이므로
정육면체 한 모서리의 길이는 2 cm입니다.
따라서 부피는 2 × 2 × 2 = 8(cm³)

정육면체의 한 모서리의
길이를 알아야 해.

1 겉넓이: 96 cm²

64 cm³

96 ÷ 6 = 16(cm²), 한 모서리 길이: 4 cm
4 × 4 × 4 = 64(cm³)

2 겉넓이: 6 cm²

1 cm³

6 ÷ 6 = 1(cm²), 한 모서리 길이: 1 cm
1 × 1 × 1 = 1(cm³)

3 겉넓이: 54 cm²

27 cm³

54 ÷ 6 = 9(cm²), 한 모서리 길이: 3 cm
3 × 3 × 3 = 27(cm³)

4 겉넓이: 294 cm²

343 cm³

294 ÷ 6 = 49(cm²), 한 모서리 길이: 7 cm
7 × 7 × 7 = 343(cm³)

5 겉넓이: 216 cm²

216 cm³

216 ÷ 6 = 36(cm²), 한 모서리 길이: 6 cm
6 × 6 × 6 = 216(cm³)

6 겉넓이: 486 cm²

729 cm³

486 ÷ 6 = 81(cm²), 한 모서리 길이: 9 cm
9 × 9 × 9 = 729(cm³)

7 겉넓이: 2400 cm²

8000 cm³

2400 ÷ 6 = 400(cm²), 한 모서리 길이: 20 cm
20 × 20 × 20 = 8000(cm³)

8 겉넓이: 726 cm²

1331 cm³

726 ÷ 6 = 121(cm²), 한 모서리 길이: 11 cm
11 × 11 × 11 = 1331(cm³)

9 겉넓이: 384 cm²

512 cm³

384 ÷ 6 = 64(cm²), 한 모서리 길이: 8 cm
8 × 8 × 8 = 512(cm³)

10 겉넓이: 1350 cm²

3375 cm³

1350 ÷ 6 = 225(cm²), 한 모서리 길이: 15 cm
15 × 15 × 15 = 3375(cm³)

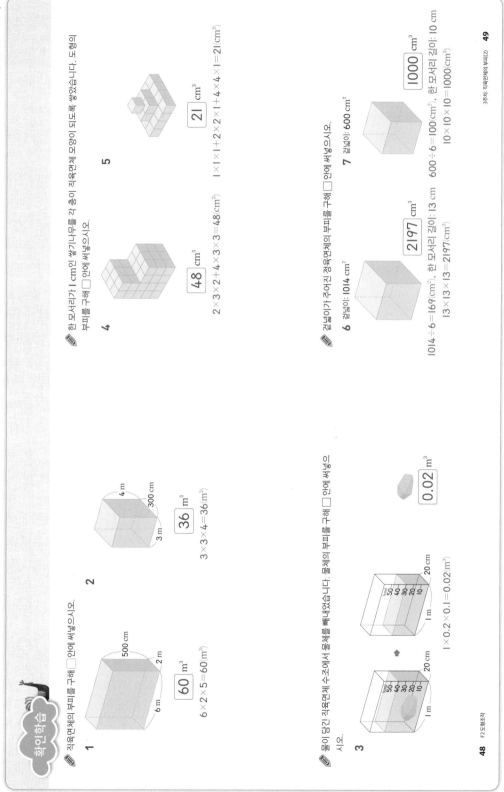

확인학습

✏️ 직육면체의 부피를 구해 □ 안에 써넣으시오.

1

500 cm
6 m
2 m

60 m³

6×2×5=60(m³)

2

4 m
300 cm
3 m

36 m³

3×3×4=36(m³)

✏️ 물이 담긴 직육면체 수조에서 물체를 빼내었습니다. 물체의 부피를 구해 □ 안에 써넣으시오.

3

1 m
20 cm

→

1 m
20 cm

0.02 m³

1×0.2×0.1=0.02(m³)

✏️ 한 모서리가 1 cm인 쌓기나무를 각 층이 직육면체 모양이 되도록 쌓았습니다. 도형의 부피를 구해 □ 안에 써넣으시오.

4

48 cm³

2×3×2+4×3×3=48(cm³)

5

21 cm³

1×1×1+2×2×1+4×4×1=21(cm³)

✏️ 겉넓이가 주어진 정육면체의 부피를 구해 □ 안에 써넣으시오.

6 겉넓이: 1014 cm²

2197 cm³

1014÷6=169(cm²), 한 모서리 길이: 13 cm
13×13×13=2197(cm³)

7 겉넓이: 600 cm²

1000 cm³

600÷6=100(cm²), 한 모서리 길이: 10 cm
10×10×10=1000(cm³)

원기둥의 전개도

1일

원기둥의 전개도입니다. ☐ 안에 알맞은 수를 써넣으시오. (원주율: 3.1)

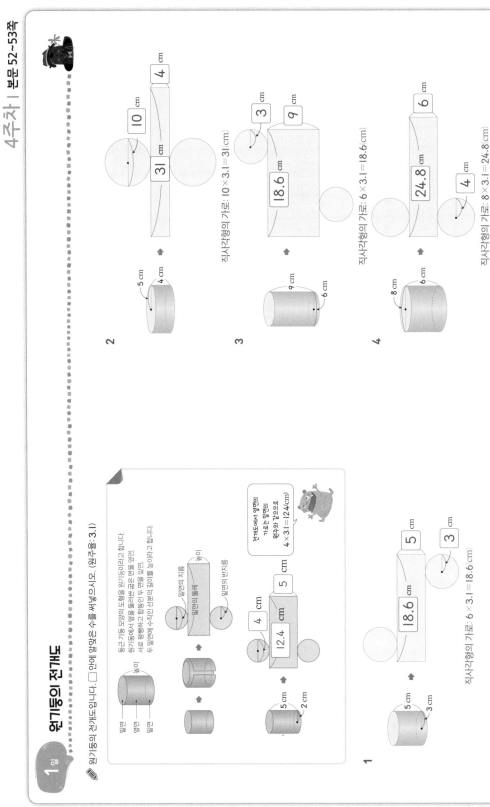

둥근 기둥 모양의 도형을 원기둥이라고 합니다.
원기둥에서 옆을 둘러싼 굽은 면을 옆면이라고 합니다.
서로 평행하고 합동인 두 면을 밑면
두 밑면에 수직인 선분의 길이를 높이라고 합니다.

전개도에서 옆면의
가로는 밑면의
원주와 같으므로
4×3.1=12.4(cm)

직사각형의 가로: 6×3.1=18.6(cm)

직사각형의 가로: 10×3.1=31(cm)

직사각형의 가로: 6×3.1=18.6(cm)

직사각형의 가로: 6×3.1=18.6(cm)

직사각형의 가로: 8×3.1=24.8(cm)

2일 전개도의 넓이

원기둥의 전개도입니다. 각 면의 넓이를 각각 구해 □ 안에 써넣으시오. (원주율: 3.1)

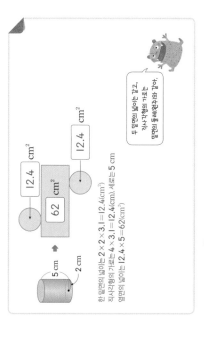

한 밑면의 넓이는 2×2×3.1=12.4(cm²)
직사각형의 가로는 4×3.1=12.4(cm), 세로는 5 cm
옆면의 넓이는 12.4×5=62(cm²)

12.4 cm²

62 cm²

12.4 cm²

두 밑면의 넓이는 같고,
직사각형의 가로는
밑면의 둘레(원주)와 같아.

1

12.4 cm²

86.8 cm²

12.4 cm²

한 밑면의 넓이: 2×2×3.1=12.4(cm²)
직사각형의 가로: 4×3.1=12.4(cm), 직사각형의 넓이: 12.4×7=86.8(cm²)

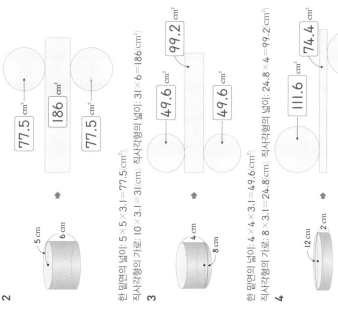

77.5 cm²

186 cm²

77.5 cm²

2

한 밑면의 넓이: 5×5×3.1=77.5(cm²)
직사각형의 넓이: 10×3.1=31(cm), 직사각형의 넓이: 31×6=186(cm²)

49.6 cm²

99.2 cm²

49.6 cm²

3

한 밑면의 넓이: 4×4×3.1=49.6(cm²)
직사각형의 가로: 8×3.1=24.8(cm), 직사각형의 넓이: 24.8×4=99.2(cm²)

111.6 cm²

74.4 cm²

111.6 cm²

4

한 밑면의 넓이: 6×6×3.1=111.6(cm²)
직사각형의 가로: 12×3.1=37.2(cm), 직사각형의 넓이: 37.2×2=74.4(cm²)

3일 원기둥의 겉넓이(1)

✏️ ☐ 안에 알맞은 수를 써넣으시오. (원주율: 3)

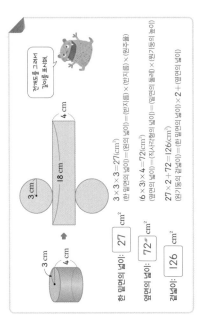

$3 \times 3 \times 3 = 27(cm^2)$
(한 밑면의 넓이)=(원의 넓이)=(반지름)×(반지름)×(원주율)

$(6 \times 3) \times 4 = 72(cm^2)$
(옆면의 넓이)=(직사각형의 넓이)=(밑면의 둘레)×(원기둥의 높이)

$27 \times 2 + 72 = 126(cm^2)$
(원기둥의 겉넓이)=(한 밑면의 넓이)×2+(옆면의 넓이)

1

한 밑면의 넓이: 27 cm²
옆면의 넓이: 72 cm²
겉넓이: 126 cm²

한 밑면의 넓이: $5 \times 5 \times 3 = 75(cm^2)$
옆면의 넓이: $10 \times 3 \times 3 = 90(cm^2)$
겉넓이: $75 \times 2 + 90 = 240(cm^2)$

한 밑면의 넓이: 75 cm²
옆면의 넓이: 90 cm²
겉넓이: 240 cm²

2

한 밑면의 넓이: $2 \times 2 \times 3 = 12(cm^2)$
옆면의 넓이: $4 \times 3 \times 7 = 84(cm^2)$
겉넓이: $12 \times 2 + 84 = 108(cm^2)$

한 밑면의 넓이: 12 cm²
옆면의 넓이: 84 cm²
겉넓이: 108 cm²

3

한 밑면의 넓이: 108 cm²
옆면의 넓이: 180 cm²
겉넓이: 396 cm²

한 밑면의 넓이: $6 \times 6 \times 3 = 108(cm^2)$
옆면의 넓이: $12 \times 3 \times 5 = 180(cm^2)$
겉넓이: $108 \times 2 + 180 = 396(cm^2)$

4

한 밑면의 넓이: 27 cm²
옆면의 넓이: 108 cm²
겉넓이: 162 cm²

한 밑면의 넓이: $3 \times 3 \times 3 = 27(cm^2)$
옆면의 넓이: $6 \times 3 \times 6 = 108(cm^2)$
겉넓이: $27 \times 2 + 108 = 162(cm^2)$

5

한 밑면의 넓이: 300 cm²
옆면의 넓이: 180 cm²
겉넓이: 780 cm²

한 밑면의 넓이: $10 \times 10 \times 3 = 300(cm^2)$
옆면의 넓이: $20 \times 3 \times 3 = 180(cm^2)$
겉넓이: $300 \times 2 + 180 = 780(cm^2)$

6

한 밑면의 넓이: 27 cm²
옆면의 넓이: 180 cm²
겉넓이: 234 cm²

한 밑면의 넓이: $3 \times 3 \times 3 = 27(cm^2)$
옆면의 넓이: $6 \times 3 \times 10 = 180(cm^2)$
겉넓이: $27 \times 2 + 180 = 234(cm^2)$

4일 원기둥의 겉넓이(2)

✏️ 원기둥의 겉넓이를 구해 ☐ 안에 써넣으시오. (원주율: 3)

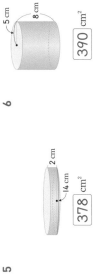

한 밑면의 넓이: $4 \times 4 \times 3 = 48(cm^2)$
옆면의 넓이: $(8 \times 3) \times 6 = 144(cm^2)$
겉넓이: $(48 \times 2) + 144 = 240(cm^2)$

1

한 밑면의 넓이: $2 \times 2 \times 3 = 12\,cm^2$
옆면의 넓이: $4 \times 3 \times 10 = 120\,cm^2$
겉넓이: $12 \times 2 + 120 = 144(cm^2)$

144 cm²

2

한 밑면의 넓이: $3 \times 3 \times 3 = 27(cm^2)$
옆면의 넓이: $6 \times 3 \times 5 = 90\,cm^2$
겉넓이: $27 \times 2 + 90 = 144(cm^2)$

144 cm²

3

한 밑면의 넓이: $5 \times 5 \times 3 = 75\,cm^2$
옆면의 넓이: $10 \times 3 \times 4 = 120\,cm^2$
겉넓이: $75 \times 2 + 120 = 270(cm^2)$

270 cm²

4

한 밑면의 넓이: $10 \times 10 \times 3 = 300\,cm^2$
옆면의 넓이: $20 \times 3 \times 5 = 300(cm^2)$
겉넓이: $300 \times 2 + 300 = 900(cm^2)$

900 cm²

지름과 반지름을 이용하여 밑면의 넓이를 먼저 계산해 봐.

5

한 밑면의 넓이: $7 \times 7 \times 3 = 147(cm^2)$
옆면의 넓이: $14 \times 3 \times 2 = 84\,cm^2$
겉넓이: $147 \times 2 + 84 = 378(cm^2)$

378 cm²

6

한 밑면의 넓이: $5 \times 5 \times 3 = 75\,cm^2$
옆면의 넓이: $10 \times 3 \times 8 = 240\,cm^2$
겉넓이: $75 \times 2 + 240 = 390(cm^2)$

390 cm²

7

한 밑면의 넓이: $4 \times 4 \times 3 = 48\,cm^2$
옆면의 넓이: $8 \times 3 \times 7 = 168\,cm^2$
겉넓이: $48 \times 2 + 168 = 264(cm^2)$

264 cm²

8

한 밑면의 넓이: $3 \times 3 \times 3 = 27\,cm^2$
옆면의 넓이: $6 \times 3 \times 9 = 162\,cm^2$
겉넓이: $27 \times 2 + 162 = 216(cm^2)$

216 cm²

9

한 밑면의 넓이: $12 \times 12 \times 3 = 432\,cm^2$
옆면의 넓이: $24 \times 3 \times 5 = 360\,cm^2$
겉넓이: $432 \times 2 + 360 = 1224(cm^2)$

1224 cm²

10

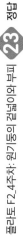

한 밑면의 넓이: $15 \times 15 \times 3 = 675\,cm^2$
옆면의 넓이: $30 \times 3 \times 6 = 540\,cm^2$
겉넓이: $675 \times 2 + 540 = 1890(cm^2)$

1890 cm²

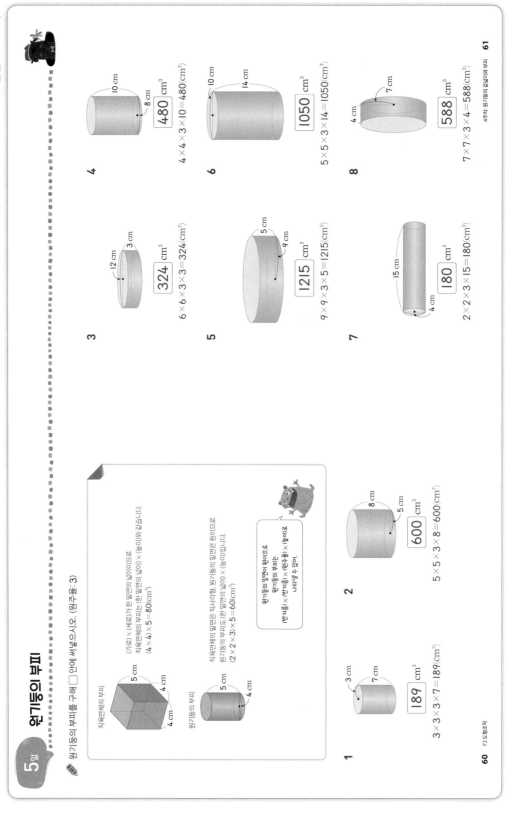

5일 원기둥의 부피

원기둥의 부피를 구해 □ 안에 써넣으시오. (원주율 : 3)

직육면체의 부피

(가로)×(세로)가 한 밑면의 넓이이므로
직육면체의 부피는 (한 밑면의 넓이) × (높이)와 같습니다.
(4×4)×5＝80(cm³)

원기둥의 부피

직육면체의 밑면을 직사각형, 원기둥의 밑면을 원이므로
원기둥의 부피도 (한 밑면의 넓이) × (높이)입니다.
(2×2×3)×5＝60(cm³)

원기둥의 밑면의 넓이이므로
원기둥의 부피는
(반지름)×(반지름)×(원주율)×(높이)로
나타낼 수 있어.

1
3×3×3×7＝189(cm³)
189 cm³

2
5×5×3×8＝600(cm³)
600 cm³

3
6×6×3×3＝324(cm³)
324 cm³

4
4×4×3×10＝480(cm³)
480 cm³

5
9×9×3×5＝1215(cm³)
1215 cm³

6
5×5×3×14＝1050(cm³)
1050 cm³

7
2×2×3×15＝180(cm³)
180 cm³

8
7×7×3×4＝588(cm³)
588 cm³

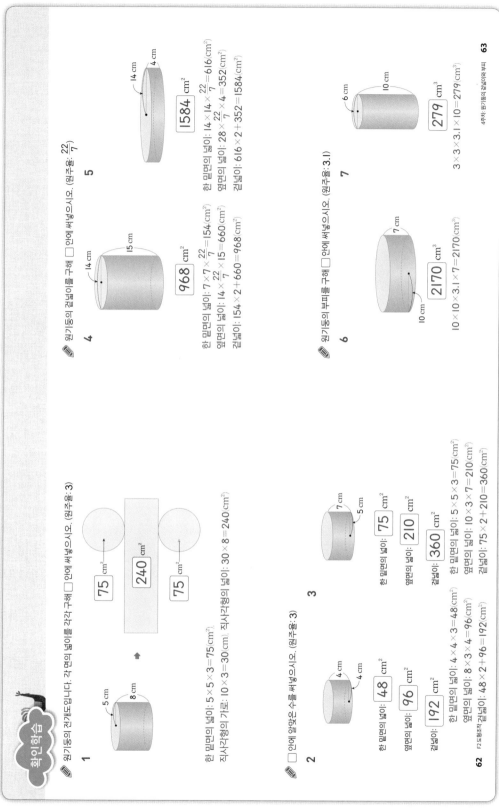

✎ 원기둥의 전개도입니다. 각 면의 넓이를 각각 구해 ☐ 안에 써넣으시오. (원주율: 3)

1

한 밑면의 넓이: 5 × 5 × 3 = 75 cm²
직사각형의 가로: 10 × 3 = 30 cm), 직사각형의 넓이: 30 × 8 = 240 cm²

75 cm² 240 cm² 75 cm²

✎ ☐ 안에 알맞은 수를 써넣으시오. (원주율: 3)

2

한 밑면의 넓이: 48 cm²
옆면의 넓이: 96 cm²
겉넓이: 192 cm²

한 밑면의 넓이: 4 × 4 × 3 = 48 cm²)
옆면의 넓이: 8 × 3 × 4 = 96 cm²)
겉넓이: 48 × 2 + 96 = 192 cm²)

3

한 밑면의 넓이: 75 cm²
옆면의 넓이: 210 cm²
겉넓이: 360 cm²

한 밑면의 넓이: 5 × 5 × 3 = 75 cm²)
옆면의 넓이: 10 × 3 × 7 = 210 cm²)
겉넓이: 75 × 2 + 210 = 360 cm²)

F2.드림조작

✎ 원기둥의 겉넓이를 구해 ☐ 안에 써넣으시오. (원주율: 22/7)

4

968 cm²

한 밑면의 넓이: 7 × 7 × 22/7 = 154 cm²)
옆면의 넓이: 14 × 22/7 × 15 = 660 cm²)
겉넓이: 154 × 2 + 660 = 968 cm²)

5

1584 cm²

한 밑면의 넓이: 14 × 14 × 22/7 = 616 cm²)
옆면의 넓이: 28 × 22/7 × 4 = 352 cm²)
겉넓이: 616 × 2 + 352 = 1584 cm²)

✎ 원기둥의 부피를 구해 ☐ 안에 써넣으시오. (원주율: 3.1)

6

2170 cm³

10 × 10 × 3.1 × 7 = 2170 cm³)

7

279 cm³

3 × 3 × 3.1 × 10 = 279 cm³)

4주차: 원기둥의 겉넓이와 부피

1회차 형성 평가

월 일 | 제한 시간 10분 / 맞은 개수 / 7개

◆ 한 모서리가 1 cm인 쌓기나무로 직육면체를 만들었습니다. 직육면체의 겉넓이를 구해 □ 안에 써넣으시오.

1

$\boxed{96}$ cm²

$4 \times 4 \times 6 = 96 (\text{cm}^2)$

2

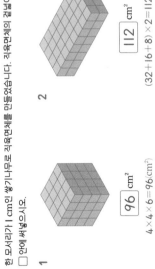

$\boxed{112}$ cm²

$(32+16+8) \times 2 = 112 (\text{cm}^2)$

◆ 겉넓이가 주어진 정육면체의 부피를 구해 □ 안에 써넣으시오.

5 겉넓이: **150 cm²**

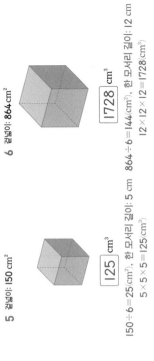

$\boxed{125}$ cm³

$150 \div 6 = 25 (\text{cm}^2)$, 한 모서리 길이: 5 cm $\quad 5 \times 5 \times 5 = 125 (\text{cm}^3)$

6 겉넓이: **864 cm²**

$\boxed{1728}$ cm³

$864 \div 6 = 144 (\text{cm}^2)$, 한 모서리 길이: 12 cm $\quad 12 \times 12 \times 12 = 1728 (\text{cm}^3)$

◆ 주어진 상자에 한 모서리가 1 cm인 쌓기나무를 빈틈없이 채웁니다. 필요한 쌓기나무의 수를 □ 안에 써넣으시오.

3

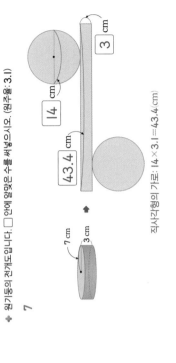

6 cm, 3 cm, 4 cm

$\boxed{72}$ 개

$4 \times 3 \times 6 = 72 (\text{개})$

4

6 cm, 6 cm, 6 cm

$\boxed{216}$ 개

$6 \times 6 \times 6 = 216 (\text{개})$

◆ 원기둥의 전개도입니다. □ 안에 알맞은 수를 써넣으시오. (원주율: 3.1)

7

7 cm, 3 cm

→

14 cm, 43.4 cm, $\boxed{3}$ cm

직사각형의 가로: $14 \times 3.1 = 43.4 (\text{cm})$

형성 평가 2회차

배점 | 형 | 제한 시간: 10분 / 맞은 개수 /8개

✦ 직육면체 전개도의 넓이를 구해 □ 안에 써넣으시오.

1

3 cm
3 cm
2 cm

42 cm²

$(9+6+6) \times 2 = 42 \, (\text{cm}^2)$

2

4 cm
1 cm
5 cm

58 cm²

$(4+20+5) \times 2 = 58 \, (\text{cm}^2)$

✦ 직육면체 모양으로 쌓은 쌓기나무의 수를 □ 안에 써넣으시오.

3

45 개

$3 \times 3 \times 5 = 45 \, (\text{개})$

4

36 개

$2 \times 6 \times 3 = 36 \, (\text{개})$

✦ 직육면체의 부피를 구해 □ 안에 써넣으시오.

5

400 cm
4 m
1 m

16 m³

$1 \times 4 \times 4 = 16 \, (\text{m}^3)$

6

80 cm
2.5 m
4 m

8 m³

$4 \times 2.5 \times 0.8 = 8 \, (\text{m}^3)$

✦ 원기둥의 겉넓이를 구해 □ 안에 써넣으시오. (원주율: 3.1)

7

10 cm
40 cm

3100 cm²

$10 \times 10 \times 3.1 \times 2$
$+20 \times 3.1 \times 40 = 3100 \, (\text{cm}^2)$

8

4 cm
40 cm

2976 cm²

$20 \times 20 \times 3.1 \times 2$
$+40 \times 3.1 \times 4 = 2976 \, (\text{cm}^2)$

3회차

형성 평가

월 일 | 제한 시간 10분 / 맞은 개수 /8개

✦ 직육면체의 겉넓이를 구해 □ 안에 써넣으시오.

1

3 cm

5 cm

4 cm

94 cm²

$(20+12+15) \times 2 = 94$(cm²)

2

5 cm

7 cm

2 cm

118 cm²

$(14+35+10) \times 2 = 118$(cm²)

✦ □ 안에 알맞은 수를 써넣으시오.

3 부피: 100 cm³

2 cm

5 cm

10 cm

$5 \times \square \times 2 = 100$, $\square = 10$ cm

4 부피: 128 cm³

8 cm

4 cm

4 cm

$\square \times 4 \times 8 = 128$, $\square = 4$ cm

✦ 한 모서리가 1 cm인 쌓기나무를 각 층이 직육면체 모양이 되도록 쌓았습니다. 도형의 부피를 구해 □ 안에 써넣으시오.

5

40 cm³

$4 \times 3 \times 2 + 4 \times 4 \times 1 = 40$(cm³)

6

26 cm³

$3 \times 1 \times 1 + 4 \times 2 \times 1 + 5 \times 3 \times 1 = 26$(cm³)

✦ □ 안에 알맞은 수를 써넣으시오. (원주율: $3\frac{1}{7}$)

7

10 cm

7 cm

한 밑면의 넓이: $7 \times 7 \times 3\frac{1}{7} = 154$ cm²

옆면의 넓이: $14 \times 3\frac{1}{7} \times 10 = 440$ cm³

겉넓이: 748 cm²

겉넓이: $154 \times 2 + 440 = 748$(cm²)

8

5 cm

28 cm

한 밑면의 넓이: $14 \times 14 \times 3\frac{1}{7} = 616$ cm²

옆면의 넓이: $28 \times 3\frac{1}{7} \times 5 = 440$ cm²

겉넓이: 1672 cm²

겉넓이: $616 \times 2 + 440 = 1672$(cm²)

4회차 형성 평가

제한 시간 10분 / 맞은 개수 ___ /8개
일 ___ 월 ___ 일

✦ 한 모서리가 1 cm인 쌓기나무로 직육면체를 만들었습니다. 겉넓이가 같은 직육면체끼리 선으로 이어 보시오.

1 32 cm²

2 42 cm²

3 38 cm²

42 cm²

38 cm²

32 cm²

✦ 직육면체의 부피를 구해 ☐ 안에 써넣으시오.

4

6 cm, 4 cm, 3 cm

$\boxed{72}$ cm³

$3 \times 4 \times 6 = 72 \, (\text{cm}^3)$

5

5 cm, 5 cm, 5 cm

$\boxed{125}$ cm³

$5 \times 5 \times 5 = 125 \, (\text{cm}^3)$

✦ 물이 담긴 직육면체 수조에서 물체를 빼내었습니다. 물체의 부피를 구해 ☐ 안에 써넣으시오.

6

1.2 m, 50 cm

↑

1.2 m, 50 cm

→ 0.06 m³

$1.2 \times 0.5 \times 0.1 = 0.06 \, (\text{m}^3)$

✦ 원기둥의 부피를 구해 ☐ 안에 써넣으시오. (원주율: $\frac{22}{7}$)

7

8 cm, 14 cm

$\boxed{1232}$ cm³

$7 \times 7 \times \frac{22}{7} \times 8 = 1232 \, (\text{cm}^3)$

8

14 cm, 10 cm

$\boxed{6160}$ cm³

$14 \times 14 \times \frac{22}{7} \times 10 = 6160 \, (\text{cm}^3)$

정답과 해설

5회차

형성 평가

월 일 | 제한 시간 10분 / 맞은 개수 /7개

1 정육면체의 겉넓이를 구해 □ 안에 써넣으시오.

9 cm, 9 cm, 9 cm

486 cm²

$9 \times 9 \times 6 = 486 (cm^2)$

2

15 cm, 15 cm, 15 cm

1350 cm²

$15 \times 15 \times 6 = 1350 (cm^2)$

3 부피가 1 cm³인 쌓기나무로 만든 직육면체의 부피를 구해 □ 안에 써넣으시오.

48 cm³

$6 \times 2 \times 4 = 48 (cm^3)$

4

96 cm³

$6 \times 4 \times 4 = 96 (cm^3)$

5 한 모서리가 1 cm인 쌓기나무를 직육면체 모양으로 쌓았습니다. 부피가 가장 큰 모양에 ○표 하시오.

24 cm³   18 cm³   12 cm³

6 40 cm³   30 cm³   30 cm³   36 cm³   36 cm³

7 원기둥의 전개도입니다. 각 면의 넓이를 각각 구해 □ 안에 써넣으시오. (원주율: 3.14)

10 cm, 4 cm

251.2 cm²

314 cm²   314 cm²

한 밑면의 넓이: $10 \times 10 \times 3.14 = 314 (cm^2)$.
직사각형의 가로: $20 \times 3.14 = 62.8 (cm)$. 직사각형의 넓이: $62.8 \times 4 = 251.2 (cm^2)$.

Memo

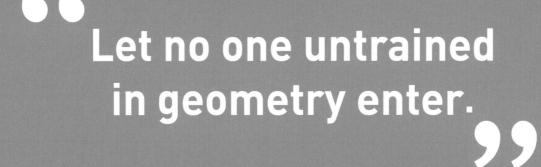

Let no one untrained in geometry enter.

"기하학을 모르는 자, 이 문을 들어오지 말라."